餘韻

【張愛玲全集】

代序

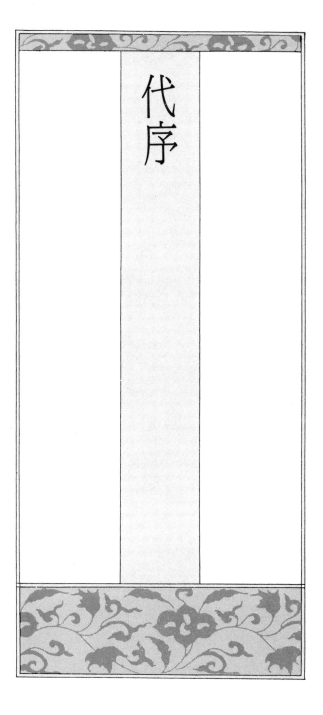

張愛玲從大陸到香港去時，有一部份在報刊上發表的作品還沒有彙集成書，無從隨身攜帶，只好遺留下來。想不到的是事隔二、三十年，竟然陸續有人對這些作品垂青，不惜『上窮碧落下黃泉』，在海外各大圖書館翻查當時的刊物，尋覓她的舊作，以滿足學術研究的需要或發掘古物的熱狂。令人詫異的是皇天不負苦心人，他們居然屢有所獲，有人影印了寄給她，有人雖聲明在先，卻逕作主張替她發表，也有人貪天之功，據爲己有，儼然視爲自己的作品出書。以上所說都有根據，例如『十八春』，就以梁京爲筆名，在『亦報』上連載，邊寫邊登，事後補修漏洞，以單行本形式面世。這本書張愛玲帶了出來，到美國定居後，認爲和原來的構想有別，將全書修潤並重寫下半部，於一九六六年起由『皇冠雜誌』和香港『星島晚報』以新書名『半生緣』同時連載，並由皇冠出版社於翌年和她其餘作品四種一起出版，列爲皇冠叢書第一六九號。至於其他零星文章，有幾篇由她在『搶救破碎』的心情之下被迫在『張看』和『悄然記』中發表，個中經過已詳見二書的序，不必多說，以免大家嫌煩。

最近情況又有了新發展。張愛玲繼『十八春』之後以梁京筆名在『亦報』上連載的中篇小說『小艾』，爲大陸學者陳子善所發現，親撰一文介紹並交香港『明報月刊』發表，台北則由『明報月刊』交『聯合報副刊』連載，一時造成台灣和香港的文學視聽界另一次『張愛玲震撼』，反應和回音到現在還嫋嫋不絕。作者在無可奈何的情形下只好『奉旨完婚』，將這一批在上海時寫作的舊文合成一本新書，定名：『餘韻』。

書中『華麗緣』一文於一九八二年在美國洛城修訂，其餘六文或有可取的地方，或有感情上的價值，作者囑咐加以『收養』。其餘如『浪子和善女人』和『女裝女色』雖經發掘出土，但犯不着再花時間去細細理順顯然是英文移植過來的構句，至於『我的姊姊張愛玲』並不是自己的作品，當然只好『包括在外』。作者自說從沒有『天下無不是的子女』的想法，認爲文章只要是自己的就會好，有時看到少作還眞會覺得『齒冷』，到了是否要面對讀者羣的關頭，只好辜負挖掘者的一番苦心了。

最重要的是中篇小說『小艾』，也是促成出版『餘韻』的主要動機之一。關於這篇小說，作者有如下的意見：

我非常不喜歡「小艾」。友人說缺少故事性，記得很对。原來的故事是另一婢女（寵妾的）被姦污懷孕，被妻發現後毒打囚禁，生下孩子撫为己出，將她賣到妓院，不知所終。妾失寵後，兒子歸五太太帶大，但是他憎恨她，因为她对妻不記仇，還对她很好。五太太的婢女小艾比他小七八歲，同是苦悶鬱結的青少年，她一度向他挑逗，但是兩人也止於繞室追逐。她婚後像美國暢銷小說中的新移民一樣努力想發財，共黨來後悵然笑着說：「現在沒指望了。」

和『十八春』一樣，『小艾』在寫作的過程中顯然離原來的構思越來越遠，幾乎變成一個新故事，其程度比『十八春』猶有過之，因爲『十八春』究竟原有所據。問題是一篇小說旣已在大陸、香港和台灣先後發表，出版權當然屬於原作者，判斷權却已歸讀者大衆所有，無法索回。作者可以重新寫過，寫出來的却絕不是目前的『小艾』，而是另一篇創作，其中的得失和高下之別又是另一回事了。所以作者表示盡量保持原來的形式和節數，以呈現當時連載的原貌。文學、美術和音樂等藝術品在創作過程中往往會演變成爲和原始動機大相逕庭的作品，不乏先例。讀者如能以諒解的心情來看『小艾』就好了。深信張愛玲的忠實讀者也會以同樣的心情來接受『餘韻』，認爲其中各篇並非剩『餘』物資，而是『喜出望外』的贏『餘』，因爲張愛玲的作品畢竟有自己的筆觸和『韻』致，値得再度發現。

關於梁京的筆名，不妨在這裏添上幾句話，借以澄清一下外間的紛紜猜測之詞。原來作者借用『玲』的子音，『張』的母音，切爲『梁』；『張』的子音，『玲』的母音，切爲『京』；絲毫沒有其他用意。至於『代序』一文，並不是指以此來代替序，而是依照作者的意旨，代爲擬一篇短文向讀者報告成書的經過，特說明如上。

皇冠出版社編輯部

目錄

散戲

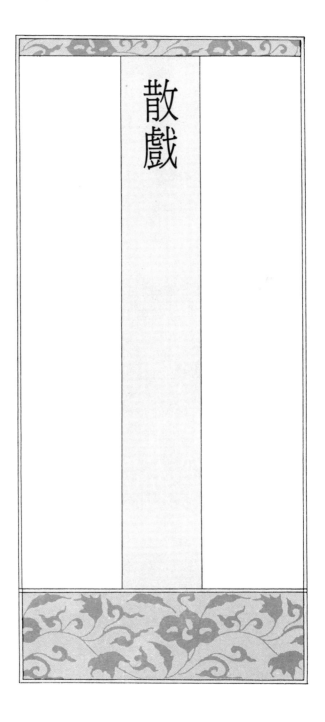

閉幕後的舞台突然小了一圈。在硬黃的燈光裏，只有一面可以看看的桌椅橱櫃顯得異常簡陋。演員都忙着卸裝去了，南宮嫿手扶着紙糊的門，單只地在台上逗留了一會。

剛才她眞不錯，她自己有數。門開着，射進落日的紅光。她伸手在太陽裏，細瘦的小紅手，手指頭燃燒起來像迷離的火苗。在那一刹那她是女先知，指出了路。她身上的長衣是謹嚴的灰色，可是大襟上有個鈕扣沒扣上，翻過來，露出大紅裏子，裏面看不見的地方也像在那裏炎騰騰燒着。她說：『我們這就出去——立刻！』

此外還說了許多別的，說的是些什麼，全然沒有關係。普通在一齣戲裏，男女二人歷盡千辛萬苦，終於會面了的時候，劇作者想讓他們講兩句適當的話，總感到非常困難，結果還是說到一隻小白船，扯上了帆，飄到天邊的美麗的島上去，再不就說起受傷的金絲雀，較聰明的還可以說：『看哪！月亮出來了。』於是兩人便靜靜的看月亮，讓伴奏的音樂來說明一切。

南宮嫿的好處就在這裏——她能夠說上許多毫無意義的話而等於沒開口。她的聲音裏有一種奇異的沉寂；她的手勢裏有一種從容的韻節，因之，不論她演的是什麼戲，都成了古裝啞劇。

出了戲院，夜深的街上，人還未散盡。她僱到一輛黃包車，討價四十元，她翻翻皮夾子，從家裏出來得太匆忙，娘姨攔住她要錢，台燈的撲落壞了，得換一隻。因此皮夾裏只剩下了三十元，她便還價，給他三十。

她眞是個天才藝人，而且，雖說年紀大了幾歲，在台上還可以看看的。娘姨知道家裏的太太是怎樣的一個人麼？娘姨只知道她家比一般人家要亂了一點，時常有些不三不四的朋友來，坐着不走，吃零嘴，作踐房間，瘋到深更半夜。主人主母的隨便與不懂事，大約算是學生派。其他也沒有什麼與人不同之處。

有時候南宮嫿也覺得娘姨所看到的就是她的私生活的全部。其他也沒有什麼了。

黃包車一路拉過去，長街上的天像無底的深溝，陰陽交界的一條溝，隔開了家和戲院。頭上高高掛着路燈，深口的鐵罩子，燈罩裏照得一片雪白，三節白的，白得耀眼。黃包車上的人無聲地滑過去，頭上有路燈，一盞接一盞，無底的陰溝裏浮起了陰間的月亮，一個又一個。

是怎麼一來變得什麼都沒有了呢？南宮嫿和她丈夫是戀愛結婚的，而且——是怎樣的戀愛呀！兩人都是獻身劇運的熱情的青年，爲了愛，也自殺過，也恐嚇過，說要走到遼遠的，遼遠的地方，一輩子不回來了。是怎樣的炮烙似的話呀！是怎樣的傷人的小動作；辛酸的，永恆的手勢！至今還沒有一個劇作者寫過這樣好的戲。報紙上也紛紛議論他們的事，那是助威的鑼鼓，中國的戲劇傳統裏，鑼鼓向來是打得太響，往往淹沒了主角的大段唱詞，但到底不失爲熱鬧。

現在結了婚上十年了，兒女都不小了，大家似乎忘了從前有過這樣的事，尤其是她丈夫。偶爾提醒他一下，自己也覺得難爲情，彷彿近於無賴。總之，她在台下是沒有戲給人看了。

黃包車夫說：『海格路到了。』南宮嫿道：『講好的，靜安寺路海格路。』車夫道：『呵，靜安寺路海格路！靜安寺路海格路！加兩銅罷！』南宮嫿不耐煩，叫他停下來，把錢給了他，就自己走回家去。

街上的店鋪全都黑沉沉地，惟有一家新開的木器店，雖然拉上了鐵柵欄，櫥窗裏還是燈火輝煌，兩個夥計立在一張鏡面髹漆大床的兩邊，拉開了鵝黃錦緞繡花床單，整頓裏面的兩只並排的枕頭。難得讓人看見的——專門擺樣的一張床，原來也有鋪床疊被的時候。

南宮嫿在玻璃窗外立了一會，然後繼續往前走，很有點掉眼淚的意思，可是已經到家了。

中國人的宗教

這篇東西本是寫給外國人看的，所以非常粗淺，但是我想，有時候也應當像初級教科書一樣地頭腦簡單一下，把事情弄明白些。

表面上中國人是沒有宗教可言的。中國知識階級這許多年來一直是無神論者。佛教對於中國哲學的影響又是一個問題。可是佛教在普通人的教育上似乎留下很少的痕跡。就因爲對一切都懷疑，中國文學裏彌漫着大的悲哀。只有在物質的細節上，它得到歡悅——因此『金瓶梅』、『紅樓夢』仔仔細細開出整桌的菜單，毫無倦意，不爲什麼，就因爲喜歡——細節往往是和美暢快，引人入勝的，而主題永遠悲觀。一切對於人生的籠統觀察都指向虛無。

世界各國的人都有類似的感覺，中國人與衆不同的地方是：這『虛無的空虛，一切都是虛空』

的感覺總像個新發現，並且就停留在這階段。一個一個中國人看見花落水流，於是臨風灑淚，對月長吁，感到生命之暫，但是他們就到這裏爲止，不往前想了。滅亡是不可避免的，然而他們並不因此就灰心，絕望，放浪，貪嘴，荒淫——對於歐洲人，那似乎是合邏輯的反應。像文藝復興時代的歐洲人，一旦不相信死後的永生了，便大大地作樂而且作惡，鬧得天翻地覆。

受過教育的中國人認爲人一年年地活下去，並不走到哪裏去；人類一代一代下去，也並不走到哪裏去。那麼，活着有什麼意義呢？不管有意義沒有，反正是活着的。我們怎樣處置自己，並沒多大關係，但是活得好一點是快樂的，所以爲了自己的享受，還是守規矩的好。在那之外，就小心地留下了空白——並非憎騰地騷動着神祕的可能性的白霧，而是一切思想懸崖勒馬的絕對停止，有如中國畫上部嚴厲的空白——不可少的空白，沒有它，圖畫便失去了均衡。不論在藝術裏還是人生裏，最難得的就是知道什麼時候應當歇手。中國人最引以自傲的就是這種約束的美。

當然，下等人在這種缺少興趣的、稀薄的空氣裏是活不下去的。他們的宗教是許多不相連繫的小小迷信組合而成的——星相、狐鬼、吃素。上等人與下等人所共有的觀念似乎只有一個祖先崇拜，而這對於知識階級不過是純粹的感情作用，對亡人盡孝而已，沒有任何宗教上的意義。

中國人的一廂情願

但是仔細一研究，我們發現大家有一個共通的宗教背景。讀書人和愚民唯一的不同之點是：讀書人有點相信而不大肯承認；愚民承認而不甚相信。這模糊的心理背景一大部份是佛教與道教，與道教後期的神怪混合在一起，在中國人的頭腦裏浸了若干年，結果與原來的佛教大不相同了。下層階級的迷信是這廣大的機構中取出的碎片——這機構的全貌很少有人檢閱過，大約因為太熟悉了的緣故。下層階級的迷信既然是有系統的宇宙觀的一部份，就不是迷信。

這宇宙觀能不能算一個宗教呢？中國的農民，你越是苦苦追問，他越不敢作肯定的答覆，至多說：『鬼總是有的罷？看是沒看見過。』至於知識階級呢，他們嘴裏說不信，其實也並沒說謊，可是他們的思想行動偷偷地感染上了宗教背景的色彩，因為信雖不信，這是他們所願意相信的。宗教本來一大半是一廂情願。我們且看中國人的願望。

中國的地獄

中國人有一個道教的天堂與一個佛教的地獄，死後一切靈魂都到地獄裏去受審判，所以不像基督教的地底火山，單只惡人在裏面受罪的，我們的地府是比較空氣流通的地方。『陰間』理該永遠是黃昏，但有時也像個極其正常的都市，遊客興趣的集中點是那十八層地窖的監牢。生魂出竅，飄流到地獄裏去，遇見過世的親戚朋友，領他們到處觀光，是常有的事。

鬼的形態，有許多不同的傳說，比較學院派的理論，說鬼只不過是一口氣不散，是氣體；以此爲根據，就斷定看上去是個灰或黑色的剪影，禁不起風吹，隨着時間的進展漸漸消磨掉，所以『新鬼大，故鬼小』。但是羣衆的理想總偏於照相式，因此一般的鬼現形起來總與死者一模一樣。

陰司的警察拘捕亡人的靈魂，最高法庭上坐着冥王，冥王手下的官僚是從幹練的鬼中選出來的。生前有過大善行的囚犯們立即被釋放，踏着金扶梯登天去了。滯留在地獄裏的罪人，依照各種不同性質的罪過受各種不同的懲罰。譬如說，貪官汚吏被迫喝下大量的銅的溶液。

投胎

中等的人都去投胎。下一輩子境況與遭際全要看上一世的操行如何。好人生在富家。如果他不是絕無缺點的，他投胎到富家做女人——女人是比男人苦得多的。如果他在過去沒有品行，他投生做下等人，或是低級動物。屠夫化作豬。欠債未還的做牛馬，爲債主做工。

離去之前，鬼們先喝下了迷魂湯，便忘記了前生。他們被驅上一隻有齒的巨輪，爬到頂上，他們驚惶地往下看，被鬼卒在背後一戳，便跌下來——跌到收生婆手中。輪廻之說爲東方各國所共有，但是哪裏都沒有像在中國這樣設想得淸晰、着實。屁股上有青記的小孩，當初一定是躊躇着不敢往下跳，被鬼卒一腳踢下來的。母親把小孩搖着，拍着，責問：『你這樣地不願意來麼？』

法律上的麻煩

犯了罪受罰，也許是在地獄裏，也許在來生，也許就在今生——不孝的兒子自己的兒子也不孝，鞭打丫頭的太太，背上生了潰爛的皮膚病。有時候這樣的報應在人間與陰間同時發生。有人到地獄裏去參觀，看見他認識的一個太太被鞭打，以爲她一定是死了；還陽之後發現她仍然活着，只是背上生了瘡。

拘捕與審判的法律手續也不是永遠照辦的。有許多案件，某人損害某人，因而致死，法庭或許把一切儀式全部罷免，讓被害者親自去捉拿犯人。鬼魂附身之後，犯人就用死者的聲音說話，暴露他自己的秘密，然後自殺。比這更爲直接痛快的辦法是天雷打，只適用於罪大惡極的案件。

雷神將罪名書寫在犯人燒焦的背骨上。『雷文』的標本曾經被收集成爲一本書，刊行於世。

既然沒有一定，陰司的行政可以由得我們加以種種猜度解釋。所以中國的因果報應之說是無懈可擊的，很容易證明它的存在，絕對不能證明它不存在。

中國的幽冥，極其明白，沒有什麼神秘。陰間的法度與中國文明後期的法度完全相同。就因爲它以人性爲基本，陰司也有做錯事的時候。亡魂去地獄之前每每要經過當地城隍廟的預審。城隍廟是陰曹的地方法院，城隍往往由死去的大員充任，（像林黛玉的父親林如海，在『紅樓圓夢』裏就做了城隍。）而他們是有受賄的可能性的。地獄的最高法院雖然比較公正，但常常查錯了帳簿，一個人陽壽未滿便被拘了來。費了許多周折，查出錯誤之後，他不得不『借屍還魂』，因爲原有的屍首已經不可收拾了。

爲什麼對棺材這麼感興趣

死後既可另行投胎，可見靈魂之於身體是有獨立性的，軀殼不過是暫時的，所以中國神學與埃及神學不同，不那麼注重屍首。然則爲什麼這樣地重視棺材呢？不論有多大的麻煩與花費，死在他鄉的人，靈柩必須千里迢迢運回來葬在祖墳上。中國的棺材，質地越好越沉重。製棺材的本意是要四人至六十四人或更多的人來扛抬的，因此停靈的房屋如果失了火，當前的問題十分尷尬痛苦，死者的家屬只有一個救急的辦法，臨時在地上挖個洞，將棺材掩埋妥當，然後再逃命。普通的墳地力求其溫暖乾燥，假若發現墳裏潮濕、有風、出螞蟻，子孫心裏是萬萬過不去的。於是風水之學滋長加繁，專門研究祖墳的情形與環境對於子孫運命的影響。

對於父母遺體過度的關切，唯一的解釋是：在中國，爲人子的感情有着反常的發展。中國人傳統上虛擬的孝心是一種偉大的、吞沒一切的熱情；既然它是唯一合法的熱情，它的畸形發達是與他方面的沖淡平靜完全失去了比例的。模範兒子以食人者熱烈的犧牲方式，割股煨湯餵給生病的父母吃。這一類的行爲，普通只有瘋狂地戀愛着的人才做得出。由此類推，他們對於父母死後的安全舒適，關心到神經過敏的程度，也是意料中的事了。

爲自己定做棺材，動機倒不見得是自我戀而是合實際的遠慮。農業社會中的居民儲藏一切的生活必需品，都認爲是理所當然的事。中國的富人常被形容爲『米爛陳倉』。在過去，在一個較有餘裕的時代，壽衣壽材都是家常必備的東西，總歸有一天用得着的。

斤斤於物質上爲亡人謀福利，也不是完全無意義的，因爲受審判的靈魂在投生之前也許有無限制的躭延。從前有個一番爭論，不能決定過渡時期的鬼魂是附在墓上還是神主牌上。中國宗教的織造有許多散亂的線，有時候又給接上了頭。譬如說，定命論與『善有善報』之說似乎是衝突的，但是後來加入了最後一分鐘的補救，兩者就沒有什麼不調和了。命中無子的老人，積德的結果，姨太太給他添了雙胞胎；奄奄一息的人，壽命給延長了十年二十年，不通的學童考試及格……

好死與橫死

中國人對於各種不同的死有各種不同的看法。訃聞裏的典型詞句描摹了最理想的結束：『壽終正寢』。死因純粹是歲數關係，而且死在正房裏，可見他是一家之主，有人照應，有人舉哀。中國人雖然考究怎樣死，有些地方却又很隨便，棺材頭上刻着生動美麗的『呂布戲貂蟬』，大出喪的音樂隊吹打着『蘇三不要哭』。

中國人說一個人死了，就說他『仙逝』，或是『西遊』，（到印度，釋迦牟尼的原籍。）又稱棺材爲『壽器』。加上了這樣輕描淡寫愉快的塗飾，普通的病死比較容易被接受了，可是凶死還是被認爲可怕的。不得好死的人沒有超生的機會，非要等到另有人遇到同樣的不幸，來做他的替身。於是急於投生的鬼不擇手段誘人自殺。有誰心境不佳，鬼便發現了他的可能性。如果它當初是吊死的，它就在他眼前掛下個繩圈，圈子裏望進去彷彿是個可愛的花園。人把頭往裏一伸，繩圈立即收縮。死於意外，也是同樣情形。假使有一輛汽車在某一個地點撞壞了，以後不斷的就有其他的汽車在那裏撞壞。高橋的游泳場是出了名的每年都有溺斃的人。鬼們似乎爲殘酷的本能所支配，像蜘蛛與猛獸。

非人的騙子

中國人將精靈的世界與下等生物聯繫在一起。狐仙、花妖木魅，都是處於人類之下而不肯安分，妄想越過自然造化的階段，修到人身——最可羨慕的生存方式是人類的，因爲最安全。有志氣的動植物對於它們自己的貧窮愚魯感到不滿，不得不鋌而走險，要得到一點人氣，惟有偸竊。它們化作美麗的女人，吸收男子的精液。

人的世界與鬼魅世界交互疊印，佔有同一的空間與時間，造成了一個擁擠的宇宙。欺軟怕硬的鬼怪專門魅惑倒運的人、身體衰微、精神不振的，但是遇見了走運的人、正直的人、有官銜的人，它們總是躲得遠遠的。人們生活在極度的聯合高壓下——社會的制裁加上陰曹的制裁加上無數的虎視眈眈在旁乘機而入的貪婪勢利的精靈。然而一個有思想的人倒也不必懼怕妖魅，因爲它們的是一種較軟弱、暗淡、冲薄的生存方式。許多故事說到亡夫怎樣可憐地阻止妻子再嫁，在花轎左右嗚嗚地哭，在新房裏哭到天明，但也無用。同時，神仙的生活雖然在某種方面是完美的，也還不及人生——比較單調，有限制。

道教的天堂

雖然說有瓊樓玉宇，琪花瑤草，總帶着一種潔淨的空白的感覺，近於『無爲』，那是我們道教的天堂唯一的道教色彩。這圖畫的其他部份全是根據在本土歷代的傳統上。玉皇直接地統治無數仙宮，間接地統治人間與地獄。對於西方的如來佛紫竹林的觀音，以及各有勢力範圍的諸大神，他又是封建的主公。地上的才女如果死得早，就有資格當選做天宮的女官。天女不小心打破了花瓶，或是在行禮的時候笑出聲來，或是調情被抓住了，就被打下凡塵，戀愛、受苦難，給民間故事製造資料。天堂裏永久的喜樂這樣地間斷一下，似乎也不是不愉快的。

天上的政府實行極端的分工制，有文人的神、武人的神、財神、壽星。地上每一個城有城隍，每一個村有土地，每一家有兩個門神，一個灶神，每一個湖與河有個龍王，此外有無職業的散仙。

儘管褻瀆神靈

中國的天堂雖然格局偉大，比起中國的地獄來，却顯得蒼白無光，線條欠明確，因爲天堂不像地獄，與人羣畢竟沒有多大關係。可是即使中國人不拿天堂當回事，他們能夠隨時的愛相信就相信。他們的幻想力委實强韌得可驚。舉個例子，無線電裏兩個紹興戲的戀人正在千叮萬囑說再會，一迭一聲含淚叫着『賢妹啊！』『梁兄啊！』報告人趁調絃子的時候插了進來——『安南路慈厚北里十三號三樓王公館毒特靈一瓶——馬上送到！』而戲劇氣氛絕對沒有被打破。

因爲中國人對於反高潮不甚敏感，中國人的宗教禁得起隨便多少褻瀆。『玉皇大帝』是太太的代名詞——尤其指一個潑悍的太太。虔誠與頑笑之間，界線不甚分明。諸神中有王母，她在中國神話中最初出現的時候是奇醜的，但是後來被裝點成了一個華美的老夫人；還有痲姑，八仙之一，這兩個都是壽筵上的好點綴，可並不是信仰的對象。然而中國人並不反對她們和觀音大士平起平坐。像外國人就不能想像聖誕老人與上帝有來往。

最低限度的得救

中國人的『靈魂得救』是因人而異的。對於一連串無窮無盡的世俗生活感到滿意的人，根本不需要『得救』，做事只要不出情理之外，就不會鑄下不得超生的大錯。

有些人見到現實生活的苦難，希望能夠創造較合意的環境，大都採用佛教的方式，沉默，孤獨，不動。受這影響的中國人可以約略分成二派。較安靜的信徒——告老的官、老太太、寡婦、不得夫心的妻子——將他們自己關閉在小屋裏，抄寫他們並不想懂的經文。與世隔絕，沒有機會作惡，這樣就造成了消極性的善，來生可以修到較好的環境，多享一點世俗的快樂。完全與世隔絕，常常辦不到，只得大大地讓步。譬如說吃素，那不但減去了殺生的罪過，而且如果推行到不吃煙火食的極端，還有積極的價值：長年專吃水果，總有一天渾身生白毛，化爲仙猿，跳躍而去。然而中國持齋的人這樣地留戀着肉，他們發明了『素鷄』、『素火腿』，更好的發明是吃『花素』的制度，吃素只限初一十五或是菩薩的生辰之類。虔誠的中國人出世入世，一隻脚跨出跨進，認爲地下的書記官一定會忠實地記錄下來每一寸每一分的退休。

救世工作體育化

至於好動的年輕人，他們暫時出世一下，求得知識與權力，再回來的時候便可以除暴安良，改造社會。他們接連靜坐數小時，胸中一念不生。在黎明與半夜他們作深呼吸運動，吸入日月精華，幫助超人的『浩然之氣』的發展。對於中國人，體操總帶有一點微妙的道義精神，與『養氣』、『練氣』有關。拳師的技巧與隱士內心的和平是相得益彰的。

這樣一路打拳打入天國，是中國冒險小說的中心思想——中國也有與西方的童子軍故事相等地位的小說，讀者除了學生學徒之外還有許多的成年人。書中的俠客，替天行道之前先到山中學習拳術、刀法、戰略。要改善人生先得與人生隔絕，這觀念，即是在不看武俠小說的人羣中也是根深柢固的。

不必要的天堂

僅將現實加以改良，有人覺得不夠，還要更上一層。大多數人寧可成仙，不願成神，因爲神的官銜往往是大功德的酬報，得到旣麻煩，此後成爲天國的官員，又有許多職責。一個清廉的縣長死後自動地就成神，如果人民爲他造一座廟。特別貞節的女人大都有她們自己的廟，至於她們能不能繼續享受地方上的供養愛護，那要看她們對於田稻收穫、天氣，以及私人的禱告是否負責。

發源自道教的仙人較可羨慕，他們過的是名士派的生活，林語堂所提倡的各種小愉快，應有盡有。仙人的正途出身需要半世紀以上的印度式的苦修，但是沒有印度隱士對於肉體的凌辱。走偏鋒的可以煉丹，或是仗着上頭的援引——仙人化裝做遊方僧道來選出有慧根的人，三言兩語點醒了他，兩人一同失蹤。五十年後一個老相識也許在他鄉外縣遇見他，鬍子還是一樣的黑。

有人名列仙班，完全由於好運氣。研究神學有相當修養的狐精，會把它的呼吸凝成一隻光亮的小球，每逢月夜，將它擲入空中，練習吐納。人如果乘機抓到這球，即刻吞了它，這狐狸的終身事業就完了。獸類求長生，先得經過人的階段，需要走比人長的路，因此每每半路上被攔劫，失去辛苦得來的道行。

生活有絕對保障的仙人以冲淡的享樂，如下棋、飲酒、旅行，來消磨時間。他們生存在另一個平面的時間裏，仙家一日等於世上千年。這似乎沒有多大好處——雖然長命都白活了。

神仙沒有性生活與家庭之樂，於是人們又創造了兩棲動物的『地仙』——地仙除了長生不老之外，與普通的財主無異。人跡不到的山谷島嶼中有地仙的住宅，與回教的樂園一般地充滿了黑眼睛的侍女，可是不那麼大衆化。偶爾與人羣接觸一下，更覺得地位優越的愉快。像那故事裏的人，被地仙招了女婿，乘了遊艇在洞庭湖碰見個老朋友，請他上船吃酒，送了他許多珠寶，朋友下船之後，女子樂隊打起鼓來，白霧陡起，遊艇就此不見了。

仙人無牽無掛享受他的財富，雖然是快樂的，在這不負責的生活裏他沒有機會行使他的待人接物的技術，而這技術，操練起來無論怎樣痛苦，到底是中國人的特長，不甘心放棄的。因此中國人對於仙境的態度很遊移，一半要，一半又憎惡。

中國人的天堂其實是多餘的。於大多數人，地獄是夠好的了。只要他們品行不太壞，他們可以預期一連串無限的、大致相同的人生，在這裏頭他們實踐前緣，無心中又種下未來的緣分、結冤，解冤——因與果密密組織起來如同篾蓆，看着頭暈。中國人特別愛悅人生的這一面——一喜歡就不放手，他們的脾氣向來如此。電影『萬世流芳』編成了京戲；『秋海棠』小說編成話劇，紹興戲、滑稽戲、彈詞、申曲，同一批觀衆忠心地去看了又看。中國樂曲，題目不論是『平沙落雁』還是『漢宮秋』，永遠把一個調子重複又重複，平心靜氣咀嚼回味，沒有高潮，沒有完——完了之後又開始，這次用另一個曲牌名。

中國人的『壞』

十七世紀羅馬派到中國來的神父吃驚地觀察到天朝道德水準之高，沒有宗教而有如此普及的道德紀律，他們再也想不通。然而初戀樣的金閃閃的憧憬終於褪色；大隊跟進來的洋商接觸到的中國人似乎全都是鬼鬼祟祟，毫無骨氣的騙子。中國人到底是不是像初見面時看上去那麼好呢？

中國人笑嘻嘻說：『這孩子眞壞，』是誇獎他的聰明。『忠厚乃無用之別名，』可同時中國人又惟恐自己的孩子太機靈，鋒芒太露是危險的，獃人有獃福。不傻也得裝傻。一般人往往特別重視他們所缺乏的──聽說舊約時代的猶太民族宗教感的早熟，就是因爲他們天性好淫。像中國人是天生地貪小，愛佔便宜，因而有『戒之在得』的反應，反倒獎勵癡獃了。

中國人並非假道學，他們認眞相信性善論，一切反社會的、自私的本能都不算本能。這樣武斷的分類，施之於德育，倒很有效，因爲誰都不願意你說他反常。

然而要把自己去適合過高的人性的標準，究竟麻煩，因此中國人時常抱怨『做人難』。『做』字是創造，摹擬，扮演，裏面有吃力的感覺。

努力的結果，中國人到底發展成爲較西方人有道德的民族了。中國人是最糟的公民，但是從這一方面去判斷中國人是不公平的──他們始終沒有過多少政治生活的經驗。在家庭裏，朋友之間，他們永遠是非常的關切，克己。最小的一件事，也須經過道德上的考慮。很少人活得到有任性的權利的高年。

因爲這種心理教育的深入，分析中國人的行爲，很難辨認什麼是訓練，什麼是本性。夏天施送痧藥水的捐款，沒有人敢吞沒，然而石菩薩的頭，一個個給砍下來拿去賣給外國人，却不算一回事。對於無知識的羣衆，抽象的道德觀念竟比具體的偶像崇拜有力，是頗爲特殊的現象。

孔教爲不求甚解的讀書人安排好了一切，但是好奇心重的愚民不由地要向宇宙的秘密裏窺探窺探。本土的、舶來的、傳說的碎片被系統化、人情化之後，孔教的制裁就伸展到中國人的幻想最遼闊的邊疆。這宗教雖然不成體統，全虧它給了孔教一點顏色與體質。中國的超自然的世界是荒蕪蒼白的，對照之下，更顯出了人生的豐富與自足。

外教在中國

天主教的上帝、聖母、耶穌，中國人很容易懂得他們的血統關係與統治權，而聖母更有一種遼遠的艷異，比本地的神多點吸引力。但是由於她的黃頭髮，究竟有些隔膜，雖然有聖誕卡片試着爲她穿上中國古裝，黃頭髮上罩了披風，還是不行。並且在這三位之下還有許多小聖。各有各的難記的名字、歷史背景、特點與事跡。用一羣神來代替另一羣，還是用虛無或是單獨的一個神來代替，比較容易。所以天主教在中國，雖然組織精嚴，仍然敵不過基督教。

基督教的神與信徒發生個人關係，而且是愛的關係。中國的神向來公事公辦，談不到愛。你前生犯的罪，今生茫然不知的，他也要你負責。天罰的執行有時候是刁惡的騙局。譬如像那七個女婿中的一個，夢見七個人被紅繩拴在一起，疑心是凶兆，從此見了他的連襟就躲開。惡作劇的親戚偏逼着他們在一間房裏吃酒，把門鎖了。屋子失火，七個女婿一齊燒死。原來這夢是神特地遣來引誘他的。

現代中國電影與文學表現肯定的善的時候，這善永遠帶有基督教傳教士的氣氛，可見基督教對於中國生活的影響。模範中國人鎮靜地微笑着，勇敢地愉快着，穿着二年前的時裝，稱太太為師母，女的結絨線，孩子在鋼琴上彈奏『一百零一支最好的歌』。女作家們很快就抓到了禮拜堂晚鐘與跪在床前做禱告的抒情的美。流行雜誌上小說裏常常有個女主角建立孤兒院來紀念她過去的愛人。這些故事該是有興趣的，因為它們代表了一般受過教育的妻與母親的靈的飛翔。

教會學校的學生，正在容易受影響的年齡，慣於把讚美詩與教堂和莊嚴、紀律、青春的理想聯繫在一起，這態度可以一直保持到成年之後，即使他們始終沒受洗禮。年輕的革命者仇視着固有的宗教，倒不反對基督教，因為跟着它來的是醫院、化學實驗室。

『人海慈航』影片裏有一夫一妻，丈夫在交易所裏浪擲錢財精力，而妻子做醫生為人羣服務，空下來還陪着小孩喜孜孜在地窖裏從事化學試驗。『人海慈航』是唯一的一齣中國電影，這樣不斷地賢德下去，賢德到二十分鐘以上。普通電影裏的善只是匆匆一瞥，當作黑暗面的對照。

在古中國，一切肯定的善都是從人的關係裏得來的。孔教政府的最高理想不過是足夠的食糧與治安，使親情友誼得以和諧地發揮下去。近代的中國人突然悟到家庭是封建餘孽，父親是專制魔王，母親是好意的傻子，時髦的妻是玩物，鄉氣的妻是祭桌上的肉。一切基本關係經過這許多攻擊，中國人像西方人一樣地變得偈促多疑了。而這對於中國人是格外痛苦的，因爲他們除了人的關係之外沒有別的信仰。

所以也難怪現代的中國人描寫善的時候如此感到困難。小說戲劇做到男女主角出了迷津，走向光明去，即刻就完了——任是批評家怎麼鞭笞責罵，也不得不完。

因爲生活本身不夠好的，現在我們要在生活之外另有個生活的目標。去年新聞報上就有個前進的基督徒這樣可憐地說了：就算是利用基督教爲工具，問他們借一個目標來也好。

但是基督教在中國也有它不可忽視的弱點。基督教感謝上帝在七天之內（或是經過億萬年的進化程序）爲我們創造了宇宙。中國人則說是盤古開天闢地，但這沒有多大關係——中國人僅僅上溯到第五代，五代之上的先人在祭祖的筵席上就沒有他們的份。因爲中國人對於親疏的細緻區別，雖然講究宗譜，却不大關心到生命最初的泉源。第一愛父母，輪到父母的遠代祖先的創造者，那愛當然是冲淡又冲淡了。

受過教育的中國人認爲達爾文一定是對的，既然他有歐洲學術中心的擁護，假使一旦消息傳來，他的理論被證實是錯的，中國人立刻毫無痛苦地放棄了它。他們從來沒認眞把猴子當祖宗，況且這一切都發生在時間的黎明之前。世界開始的時候，黃帝統治着與我們一般無二，只有比我們文明些的人民。中國人臆想中的歷史是一段悠長平均的退化，而不是進化；所以他們評論聖賢，也以時代先後爲標準，地位越古越高。

對於生命的起源既不感興趣，而世界末日又是不能想像的。歐洲黑暗時代，末日審判的畫面在大衆的幻想中是鮮明親切的，也許因爲羅馬帝國的崩潰，神經上受到打擊，都以爲世界末日將在紀元一〇〇〇年來到。中國在發展過程中沒有經過這樣斷然的摧折，因此中國人覺得歷史走的是竹節運，一截太平日子間着一劫，直到永遠。

中國宗教衡人的標準向來是行爲而不是信仰，因爲社會上最高級的份子幾乎全是不信教的，同時因爲刑罰不甚重而賞額不甚動人，信徒多半採取消極態度，只求避免責罰。中國人積習相沿，對於責任總是一味地設法推卸；出於他們意料之外，基督教獻給他們一隻『贖罪的羔羊』，無代價地負擔一切責任，你只要相信就行了。這樣，慣於討價還價的中國人反倒大大地動了疑。

但是中國人信基督教最大的困難還是：它所描畫的來生不是中國人所要的。較舊式的耶教天堂，在裏面無休無歇彈着金的豎琴，歌頌上天之德，那個我們且不去說它。較前進的理想，把地球看作一個道德的操場，讓我們在這裏經過訓練之後，到另一個渺茫的世界裏去大獻身手，對於自滿的、保守性的中國人，一向視人生爲宇宙的中心的，這也不能被接受。至於說人生是大我的潮流裏一個暫時的泡沫，這樣無個性的永生也沒多大意思。基督教給我們很少的安慰，所以本土的傳說，對抗着新舊耶教的高壓傳教，還是站得住脚，雖然它沒有反攻，沒有大量資本的支持，沒有宣傳文學，優美和平的佈景，連一本經書都沒有——佛經極少人懂，等於不存在。

不可捉摸的中國的心

然而，中國的宗教究竟是不是宗教？是宗教，就該是一種虔誠的信仰。下層階級認爲信教比較安全，因爲如果以後發現完全是謊話，也無傷，而無神論者可就冒了不必要的下地獄的危險。這解釋了中國對於外教的傳統的寬容態度。無端觸犯了基督教徒，將來萬一落到基督教的地獄裏，舉目無親，那就要吃虧了。

但是無論怎樣模稜兩可，在宗教裏有時候不能用外交辭令含糊過去，必須回答『是』或『否』。譬如有人失去了一切，惟有靠了內在的支持才能夠振作起來，創造另一個前途。可是在中國，這樣的事很少見。雖然相信『吃得苦中苦，方爲人上人』，一旦做了人上人再跌下來，就再也不會爬起來。因爲這緣故，中國報紙上的副刊差不多每隔兩天總要轉載一次愛迪生或是富蘭克林的教訓：『失敗爲成功之母。』

中國人認輸的時候，也許自信心還是有的，他要做的事或許是好的，可是不合時宜。天從來不幫着失敗的一邊。中國知識份子的『天』與現代思想中的『自然』相吻合，偉大，走着它自己無情的路，與基督教慈愛的上帝無關。在這裏，平民的宗教也受了士人的天的影響：有罪必罰，因爲犯罪是阻礙了自然的推行，而孤獨的一件善却不一定得到獎賞。

雖說『天無絕人之路』，眞的淪爲乞丐的時候，是很少翻身的機會的。在絕境中的中國人，可有一點什麼來支持他們呢？宗教除了告訴他們這是前世作孽的報應，此外任何安慰也不給麼？

乞丐不是人，因爲在孔教裏，人性的範圍很有限。人的資格最重要的一個條件是人與人的關係；就連這些關係也被限制到五倫之內。太窮的人無法奉行孔教，因爲它先假定了一個人總得有點錢或田地，可以養家活口，適應社會的要求。乞丐不能有家庭或是任何人與人的關係，除掉乞憐於人的這一種，而這又是有損於個人道德的；於是乞丐被逐出宗教的保護之外。

窮人又與赤貧的不同。世界各國向來都以下層階級爲最虔誠，因爲他們比較熱心相信來生的補報。而中國的下層階級，因爲住得擠，有更繁多的人的關係、限制、責任，更親切地體驗到中國宗教背景中神鬼人擁擠的、刻刻被偵察的情況。

將死的人也不算人；痛苦與擴大的自我感切斷了人與人的關係。因爲缺少同情，臨終的病人的心境在中國始終沒有被發掘。所有的文學，涉及這一點，總限於旁觀者的反應，因此常常流爲毫無心肝的諷刺滑稽，像那名喚『無常』的鬼警察，一個白衣丑角，高帽子上寫着『對我生財』。

對於生命的來龍去脈毫不感到興趣的中國人，即便感到興趣也不大敢朝這上面想。思想常常漂流到人性的範圍之外是危險的，邪魔鬼怪可以乘隙而入，總是不去招惹它的好。中國人集中注意力在他們眼面前熱鬧明白的，紅燈照裏的人生小小的一部。在這範圍內，中國的宗教是有效的；在那之外，只有不確定的、無所不在的悲哀。什麼都是空的，像閻惜姣所說：『洗手淨指甲，做鞋泥裏踏。』

『卷首玉照』及其他

印書而在裏面放一張照片，我未嘗不知道是不大上品，除非作者是托爾斯泰那樣的留着大白鬍鬚。但是我的小說集裏有照片，散文集裏也還是要有照片，理由是可想而知的。紙面上和我很熟悉的一些讀者大約願意看看我是什麼樣子，即使單行本裏的文章都在雜誌裏讀到了，也許還是要買一本回去，那麼我的書可以多銷兩本。我賺一點錢，可以徹底地休息幾個月，寫得少一點，好一點；這樣當心我自己，我想是對的。

但是我發現印照片並不那麼簡單。第一次打了樣子給我看，我很不容易措辭，想了好一會，才說：『朱先生，普通印照片，只有比本來的糊塗，不會比本來的清楚，是不是？如果比本來的清楚，那一定是描過了。我關照過的，不要描，爲什麼要描呢？要描我爲什麼不要照相館裏描，卻等工人來描？』朱先生說：『幾時描過的？』我把照片和樣張仔細比給他看，於是他說：『描總是要描一點的——向來這樣，不然簡直一塌糊塗。』我說：『與其這樣，我情願它糊塗的。』他說：『那是他們誤會了你的意思了，總以爲你是要它清楚的。你喜歡糊塗，那容易！』

『還有，朱先生，』我陪笑，裝出說笑話的口吻，『這臉上光塌塌地像櫥窗裏的木頭人，影子我想總要一點的。臉要黑一點，眉毛眼睛要淡許多，你看我的眉毛很淡很淡，哪裏有這樣黑白分明？』他說：『不是的——布紋的照片頂討厭，有種影子就印不出來。』

第二次他送樣子來，獏黛恰巧也在，（她本姓莫，卻改了這個『獏』字，『獏』是日本傳說裏的一種獸，吃夢爲生的。）看了很失望，說：『這樣像個假人似的，給人非常惡劣的印象，還是不要的好。』可是製版費是預先付的，我總想再試一次。我說：『比上趟好多了，一比就知道。好多了——不過就是兩邊臉深淡不均，還有，朱先生，這邊的下嘴唇不知爲什麼缺掉一塊？』朱先生細看清樣，用食指摩了一摩，道：『不是的——這裏濺了點迹子，他們拿白粉一擦，擦得沒有了。』『那麼，眉毛眼睛上也叫他們擦點白粉罷，可以模糊一點，因爲——還是太濃呀！』他笑了起來：『不行的，白粉是一吹就吹掉了的。』我說：『那麼，就再印一次罷。』朱先生眞對不起，大約你從來沒遇見過像我這樣疙瘩的主顧。上回有一次我的照片也印得很壞，這次本來想絕對不要了，因爲聽說你們比別人特別地好呀——不然我也不印了！』朱先生攢眉道：『本來我們是極頂眞的；現在沒法子，各色材料都缺貨，光靠人工是不行的。』我說：『我知道，我知道，可是我相信你們決不會印不好的，只要朱先生多同他們嘀咕兩句。』朱先生躊躇道：『要是從前，多做兩個木板是沒有什麼關係的，一兩塊錢的事，現在的損失就大了，不過——我們總要想法子使你滿意。』我說：『眞對不起，只好拉個下趟的交情罷，將來我也許還要印書呢。』——可是無論如何不印照片了。

朱先生走了之後我忽然覺得有訴苦的需要，就想着要寫這麼一篇，可是今天我到印刷所去，看見散亂的藍色照片一張張晾在木架上，雖然又有新的不對的地方，到底好些了，多了點人氣；再看一架架的機器上捲着的大幅的紙，印着我的文章，成塊，不由得覺得溫暖親熱，彷彿這裏可以住家似的，想起在香港之戰裏，沒有被褥，晚上蓋着報紙，墊着大本的畫報的情形；但是美國的『生活』雜誌，摸上去又冷又滑，總像是人家的書。

今天在印刷所那灰色的大房間裏，立在凸凹不平搭着小木橋的水泥地上，聽見印刷工人說：『哪！都在印着你的書，替你趕著呢。』我笑起來了，說：『是的嗎？眞開心！』突然覺得他們都是自家人，我憑空給他們添出許多麻煩來，也是該當的事。電沒有了，要用脚踏，一個職員說：『印這樣一張圖你知道要踏多少踏？』我說：『多少？』他說：『十二次。』其實就是幾百次我也不以爲奇，但還是說：『眞的？』嘆咤了一番。

『流言』裏那張大一點的照片，是今年夏天拍的。獏黛在旁邊導演，說：『現在要一張有維多利亞時代的空氣的，頭髮當中挑，蓬蓬地披下來，露出肩膀，但還是很守舊的，不要笑，要笑笑在眼睛裏。』她又同攝影師商酌：『太多的骨頭？』我說：『不要緊，至少是我的。』拍出來，與她所計畫的很不同，因爲不會做媚眼，眼睛裏倒有點自負，負氣的樣子。獏黛在極熱的一個下午騎脚踏車到很遠的照相館裏拿了放大的照片送到我家來，說：『吻我，快！還不謝謝我！——哪，現在你可以整天整夜吻着你自己了。——沒看見過愛玲這樣自私的人！』

那天晚上防空，我站在陽台上，聽見嗆嗆嗆打鑼，遠遠的一路敲過來，又敲到遠處去了。屋頂的露台上，防空人員向七層樓下街上的同事大聲叫喊，底下也往下傳話，我認得那是附近一家小型百貨公司的學徒的喉嚨，都是半大的孩子，碰到這種時候總是非常高興，有機會發號施令，公事公辦，臉上有一種慘淡動人的懇摯，很像官——現代的官。防空在這一點上無論如何是可愛的，給了學徒他們名正言順的課外活動。我想到中古時代的歐洲人，常常一窩蜂捕捉女巫，把形跡可疑的老婦人抓到了，在她騎掃帚上天之前把她架起火來燒死。後來不大相信這些事了，也還喜歡捉，因爲這是民間唯一的冬季運動，一村莊的人擧着火把，雪地裏，鬧鬧嚷嚷，非常快活。——樓頂上年輕的防空員長呼傳話之後，又聽見他們吐痰說笑。登高乘涼，漸漸沒有聲音，想必是走了。四下裏低低的大城市黑沉沉地像古戰場的埋伏。我立在陽台上，在藍藍的月光裏看那張照片，照片裏的笑，似乎有藐視的意味——因爲太感到興趣的緣故，彷彿只有興趣沒有感情了，然而那注視裏還是有對這世界的難言的戀慕。

有個攝影家給我拍了好幾張照，內中有一張他最滿意，因爲光線柔和，朦朧的面目，沉重的絲絨衣裙，有古典畫像的感覺。我自己倒是更爲喜歡其餘的幾張。獏黛也說這一張像個修道院的女孩子，馴良可是沒腦子，而且才十二歲，放大了更加覺得，那謙虛是空虛，看久了使人吃力。獏黛說：『讓我在上面塗點顏色罷，雖然那攝影家知道了要生氣，也顧不得這些了。』她用大筆濃濃蘸了正黃色畫背景，因爲照片不吸墨，結果像一重重的金沙披下來。頭髮與衣服都用暗青來塗沒了，單剩下一張臉，還是照片的本質，斜裏望過去，臉是發光的，浮在紙面上。十九世紀有一種 Pre-Raphaelites 畫派，追溯到拉斐爾之前的宗教畫，作風寫實，可是畫中人儘管長裙貼地，總有一種奇異的往上浮的感覺。這錯覺是怎樣造成的，是他們獨得之祕。這一流的畫雖然評價不高，還是有它狹窄的趣味的。獏黛把那張照片嵌在牆上凹進去的一個壁龕裏，下角兒了一幅黃綢子，黃裏泛竹青。兩邊兩盞壁燈，因爲防空的緣故，花蕊形的玻璃罩上抹了密密的黑墨條子；一開燈，就像辦喪事，當中是遺像，使我立刻想爬下磕頭。獏黛也認爲不行，撤去黃綢子，另外找出我那把一搧就掉毛的象牙骨摺扇，湖色的羽毛上現出兩小枝粉紅的花，不多的幾片綠葉。古代的早晨我覺得就是這樣的，紅杏枝頭籠曉月，湖綠的天，淡白的大半個月亮，桃紅的花，小圓瓣個個分明。把扇子倒掛在照片上端，溫柔的湖色翅膀，古東方的早晨的蔭瑟。現在是很安好了。

我在一個賣糖果髮夾的小攤子買了兩串亮藍珠子，不過是極脆極薄的玻璃，粗得很，兩頭有大洞，兩串絞在一起，葡萄似的，放在一張垂着眼睛思想着的照片的前面，反映到玻璃框子裏，一球藍珠子在頭髮裏隱隱放光。有這樣美麗的思想就好了。常常腦子裏空無所有，就這樣祈禱着。

雙聲

獏夢（註一）與張愛玲一同去買鞋。兩人在一起，不論出發去做什麼事，結局總是吃。

『吃什麼呢？』獏夢照例要問。

張愛玲每次都要想一想，想到後來還是和上次相同的回答：『軟的，容易消化的，奶油的。』在咖啡館裏，每人一塊奶油蛋糕，另外要一份奶油；一杯熱巧克力加奶油，另外要一份奶油。雖然是各自出錢，仍舊非常熱心地互相勸誘：『不要再添點什麼嗎？眞的一點都吃不下了嗎？』主人讓客人的口吻。

張愛玲說：『剛吃好，出去一吹風要受涼的，多坐一會好麼？』坐定了，長篇大論說起話來；話題逐漸嚴肅起來的時候，她又說：『你知道，我們這個很像一個座談會了。』

起初獏夢說到聖誕節的一個跳舞會：『他們玩一種遊戲，叫做：「向最智慧的鞠躬，向最美麗的下跪，向你最愛的接吻。」』

『哦。許多人向你下跪嗎？』

獏夢在微明的紅燈裏笑了，解釋似地說：『那天我穿了黑的衣裳，把中國小孩舊式的囡嘴子改了個領圈——你看見過的那囡嘴子，金線托出了一連串的粉紅蟠桃。那天我實在是很好看。』

『唔。也有人說你是他最愛的嗎？』

『有的。大家亂吻一陣，也不知是誰吻誰，眞是傻。我很討厭這遊戲，但是如果你一個人不加入，更顯得傻。我這人頂隨和，我一個朋友不是這樣說的嗎：「現在你反對共產主義，將來萬一共產了，你會變成最活動的黨員，就因爲你絕對不能做個局外人。」——看你背後有什麼。』

『噢，棕櫚樹，』張愛玲回頭一看，盆栽的小棕樹手爪樣的葉子正罩在她頭上，她不感興趣地撥了撥它，『我一點也不覺得我是坐在樹底下。』咖啡館的空氣很菲薄，蘋菓綠的牆，粉荷色的小燈，冷清清沒有幾個人。『他們都是吻在嘴上的麼，還是臉上？』

『當然在嘴上。他們只有吻在嘴上才叫吻。』

『光是嘴唇碰着的，銀幕上的吻麼？』

『不是的。』

『哦。』

『眞討厭，我只有一種獸類的不潔的感覺。』獏夢不愉快的時候，即刻換了一種薄薄的，單寒的喉嚨，與她腴麗的人完全不相稱。『可是我裝得很好，大家還以爲我玩得非常高興呢，誰也看不出我的嫌惡。』

『上海那些雜七骨董的外國人，美國氣很重，這樣的「頸會」（註：英文用「頸」字作爲動詞，專指當衆的擁抱接吻，和中國的「交頸」意思又兩樣）在他們是很普通的罷？』

『也許我是太老式，我非常的不贊成。不但是當衆，就是沒人在——如果一個男人是認眞喜歡你的，他還當你也一樣地喜歡他，這對於他是不公平的，給他錯誤的印象。至於有時候，根本對方不把你看得太嚴重，再給他種種自由，自己更顯得下賤。』

『的確是不好。桃樂賽狄斯說的——引經據典引到狄斯女士信箱，好像太淺薄可笑，可是狄斯女士有些話實在是很對……她說美國的年輕人把「頸」看得太隨便，弄慣了，什麼都稀鬆平常，等到後來眞的遇見了所愛的人，應當在身體的接觸上得到大的快樂，可是感情已經鈍化了，所以也是爲他們自己的愉快打算……』

獏：也許他們等不及呢——情願零零碎碎先得到一點愉快。我覺得是這樣：如果他們喜歡的話，那就沒有什麼不對；如果一個女孩子本身並沒有需要，只是爲了一時風氣所趨，怕人笑她落後或是缺乏性感，也不得不從衆，那我想是不對。

張：可是，如果她感到需要的話，這樣挑撥挑撥也是很危險的，進一步引到別的上頭，會有比較嚴重的結果。你想不是麼？接吻是沒什麼關係的——

獏：噯，對了。

張：如果她不感到需要，當然逼迫自己也是很危險的——印象太壞了，會影響到以後的性心理。

獏：只有俄國女人是例外。俄國女孩子如果放浪一點，也是情有可原，她們老得特別的快，結婚沒有多時就胖得像牛。以後無論她們需要不需要，反正沒有多少羅曼史了。……眞的，俄國女人年紀大一點就簡直看不得。古話說：『沒結婚，先看看你的丈母娘。』（因爲丈母娘就是妻子老來的影子）如果男人眞照這樣做，所有的俄國女人全沒有結婚的機會了！……那天的宴會裏有幾個俄國青年編了一齣極短的戲，很有趣，叫『永遠的三角』。非常簡單：一個男人一個女人迎面走來，抱住了，同聲說：『我的愛！』窗外有個人影子一閃，女人急了，說：『我的丈夫！』男人匆匆地要溜，說：『我的帽子！』完了。

張：眞好！——不知爲什麼，白俄年輕的時候有許多聰明的，到後來也不聽見他們怎樣，從來沒有什麼成就。雜種人也是這樣，又有天才，又精明，會算計——（突然地，她爲獏夢恐懼起來。）

獏：是的，大概是因爲缺少鼓勵。社會上對他們總有點歧視。

張：不，我想上海在這一點上倒是很寬容的，什麼都是自由競爭。我想，還是因爲他們沒有背景，不屬於哪裏，沾不着地氣。

獏：也許。哎，我還沒說完呢，關於他們的戲。還有『永遠的三角在英國』：——妻子和情人擁抱着，丈夫回來撞見了，丈夫非常地窘，喃喃地造了點藉口，拿了他的雨傘，重新出去了。『永遠的三角在俄國』：妻子和情人擁抱，丈夫回來看見了，大怒，從身邊拔出三把手槍來，給他們每人一把，他自己也拿一把，各自對準了太陽穴，轟然一聲，同時自殺了。

張：眞可笑！眞像！

獏：妒忌這樣東西眞是——拿它無法可想。譬如說，我同你是好朋友。假使我有丈夫，在他面前提起你的時候，我總是只說你的好處，那麼他當然，只知道你的好處，所以非常喜歡你。那我又不情願了。——如果是你呢？

張：我也要妒忌的。

獏：又不便說明，悶在心頭，對朋友，只有在別的上頭刻毒些——可以很刻毒。多年的感情漸漸的被破壞，眞是悲慘的事。其實也沒有什麼不可以說明的。你答應我，如果有這樣的一天，你就對我說：『獏夢，我妒忌了。你留神一點，少來來！』

張：（笑）好的，一定。

獏：我不大能夠想像，如果有一天我發現我的丈夫在吻你，我怎麼辦——口吐白沫大鬧一場呢，還是像那英國人似的非常窘，悄悄躲出去。——還有一點奇怪的，如果我發現我丈夫在吻你，我妒忌的是你不是他——

張：（笑起來）自然應當是這樣，這有什麼奇怪呢？你有時候頭腦非常混亂。

獏：（繼續想她的）我想我還是會大鬧的。大鬧過後，隔了許多天，又懊惱起來，也許打個電話給你，說：『張愛（註二），幾時來看看我罷。』

張：我是不會當場發脾氣的，大約是裝做沒看見，等客人走了，背地裏再問他到底是怎麼一回事。其實問也是多餘的，我總覺得一個男人有充分的理由要吻你。不過原諒歸原諒，這到底是不行的。

獏：當然！堂堂正正走進來說：『喂，這是不行的！』

張：在我們之間可以這樣，換了一個別的女人就行不通。發作一場，又做朋友了，人家要說是神經病。而且麻煩的是，可妒忌的不單是自己的朋友。隨便什麼女人，男人稍微提到，說聲好，聽着總有點難過，不能每一趟都發脾氣。而且發慣了脾氣，他什麼都不對你說了，就說不相干的，也存着戒心，弄得沒有可談的了。我想還是忍着的好。脾氣是越縱容越脾氣大。忍忍就好了。

獏：不過這多討厭呢，常常要疑心——當然你想着誰都是喜歡他的，因爲他是最最好的——不然也不會嫁給他了。生命眞是要命的事！

張：關於多妻主義——

獏：理論上我是贊成的，可是不能夠實行。

張：我也是。

獏：幸而現在還輪不到我們。歐洲就快要行多妻主義了，男人死得太多——看他們可有什麼好一點的辦法想出來。

張：（猝然，擔憂地）獏夢，將來你老了的時候預備穿什麼樣的衣服呢？

獏：印度裝的披紗——我想那是最慈悲的。不管我將來嫁給印度人或是中國人，我要穿印度的披紗——石像的莊嚴，胖一點瘦一點都沒有關係。或者，也許，中國舊式的襖袴……

張：（高興起來）噯，對了，我也可以穿長大的襖袴，什麼都蓋住了，可是仍舊很有樣子；青的，黑的，赭黃的，也有許多陳年的好顏色。

獏：哪，現在你放心了！對於老年沒有恐懼了，是不是？從來沒看見張愛這樣的人！連將來她老了的時候該穿什麼衣服都要我預先決定！是不是我應當在遺囑上寫明白了：幾年以後張愛可以穿什麼什麼……

張：（笑）不是的——你知道我最恨現在這班老太太，怎麼黯淡怎麼穿，瑟瑟縮縮的，如果有一點個性，就是教會氣。外國老太太們倒是開通，紅的花的都能穿，大塊的背脊上，密密的小白花，使人頭昏，藍底子印花綢，紅底子印花布，包着不成人形的肉，眞難看！

獏：噢，你記得上回我跟一個朋友討論東西洋的文化，我忽然想起來有一點我要告訴他：西方的時裝也是一代否定一代的，所以花樣翻新，主意非常多；而印度的披紗是永久的，慢慢地加一點進去，加一點進去，終於成了定型，有普遍的包涵的美，改動一點小節都不可能。還有，關於日本文化——我對於日本文化的迷戀，已經過去了。

張：啊，我也是！三年前，初次看見他們的木版畫，他們的衣料、瓷器，那些天眞的、紅臉的小兵，還有我們回上海來的船上，那年老的日本水手拿出他三個女兒的照片給我們看；路過台灣，台灣的秀麗的山，浮在海上，像中國的靑綠山水畫裏的，那樣的山，想不到，眞的有！日本的風景聽說也是這樣。船艙的窗戶洞裏望出去，圓窗戶洞，夜裏，海灣是藍灰色的，靜靜的一隻小漁船，點一盞紅燈籠——那時候眞是如痴如醉地喜歡着呀！

獏：是的，他們有一種稚氣的風韻，非常可愛的。

張：對於我，倒不是完全因爲他們的稚氣；因爲我是中國人，喜歡那種古中國的厚道含蓄。他們有一種含蓄的空氣。

獏：嗳，好的就是那種空氣。譬如說山上有一層銀白的霧，霧是美的，然而霧的後面還是有個山在那裏。山是眞實。他們的霧，後面沒有山。

張：是的，他們有許多感情都是浮面的。對於他們不熟悉的東西，他們沒有感情；對於熟悉的東西，每一樣他們都有一個規定的感情——『應當怎樣想』。

獏：你想我們批評得太苛刻麼？我們總是貪多貪多，總是不滿足。

張：我想並不太苛刻，可是，同西洋同中國現代的文明比起來，我還是情願日本的文明的。

獏：我也是。

張：現在的中國和印度實在是不太好。至於外國，像我們都是在英美的思想空氣裏面長大的，有很多的機會看出他們的破綻。就連我所喜歡的赫克斯萊，現在也漸漸的不喜歡了。

獏：是的，他並沒有我們所想的偉大。

張：初看是那麼的深而狹，其實還是比較頭腦簡單的。

獏：就連埃及的藝術，那樣天高地厚的沉默，我都有點疑心，本來沒有什麼意思，意思都是我們自己給加進去的。

張：啊，不過，一切的藝術不都是這樣的麼？這有點不公平了。

獏：（笑）我自己也害怕，這樣地沒常性，喜歡了又丟掉，一來就粉碎了幻象。

張：我想是應當這樣的，才有個比較同進步。有些人甚至就停留在王爾德上——眞是！

獏：王爾德那樣的美眞是初步的。——所以我害怕呀，現在我同你說話，至少我知道你是懂得的；同別人說這些，人家儘管點頭，我怎麼知道他眞的懂得了沒有？家裏人都會當我發瘋！所以，你還是不要走開罷！

張：好，不走。我大約總在上海的。

獏：日本人的個性裏有一種完全——簡直使人灰心的一種完全。嫁給外國人的日本女人，過了大半輩子的西洋生活，看上去是絕對地被同化了，然而丈夫一死，她帶了孩子，還是要回日本，馬上又變成最徹底的日本人，鞠躬，微笑，成串地說客氣話，愛國愛得很熱心，同時又有那種深深淺淺的淒清——

張：噯，不知爲什麼，日本人同家鄉眞的隔絕了的話，就簡直不行。像美國的日僑，生長在美國的，那是非常輕快漂亮，脫盡了日本氣的了；他們之中就很少好的，我不喜歡他們。不像中國人，可以有歐化的中國人，到底也還是中國人，也有好有壞。日本人是不能有一半一半的。

獏：你記得你告訴過我，一個人種學家研究出來，白種人的思想是一條直線，中國人的思想是曲折的小直線；白種人是嚴格地合邏輯的，而中國人的邏輯常常轉彎，比較活動；日本人的思想方式卻是更奇怪的，是兩條平行的虛線，左邊一小劃，右邊一小劃，然後再是左邊一小劃，右邊一小劃，這樣推衍下去。——這不是就像一個人的足印？足印與足印之間本來是有空隙的，即使高一脚，低一脚，踏空了一步，也沒有大礙；不像一條直線，一下子中斷了，反而不容易連下去。

張：呀，眞好，兩條平行的虛線比作足跡。單是想到一個人的足跡，這裏面就有一種完整性。

從咖啡店裏走出來，已經是黑夜，天上有冬天的小小的蛾眉月和許多星，地上，身上，是沒有穿衣服似的，潑了水似的，透明透亮的寒冷。她們的家一個在東，一個在西，同樣的遠近，可是獏夢堅持着要人送，張愛玲雖然抱怨着，還是陪她向那邊走去。

張：（顫抖着）眞冷，不行，我一定要傷風了！

獏：不會的。多麼可愛的，使人神旺的天氣！

張：你當然不會傷風，再冷些你也可以不穿襪子，吃冰淇淋，出汗。我是要回去了！越走，回去的路越遠。不行，我眞的要生病了！

獏：呵，不要回去，送我就送到底罷，也不要生病！

張：你不能想像生病的苦處。現在你看我有說有笑，多少也有點思想，等我回去發燒嘔吐了，却只有我一個人。我姑姑常常說我自私：『只有獏夢，比你還自私！』

獏：呵，難道你也眞的這樣想麼？喂，我有很好的一句話批評阿部教授的短篇小說『星期五之花』。那一篇我看到實在很失望。

張：我也是。彷彿是要它微妙的，可是只做到輕淡。

獏：是的，不過是一點小意思，經不起這樣大寫的。整個地拉得太長，擬得太薄了。可是我說得它很美麗，我說它是一張鉛筆畫，上面却加上了兩筆墨水的勾勒，落了痕跡了。我就這樣寫在作文裏交了進去，你想他會生氣麼？

張：不會的罷？可是不行，我眞的要回去了，太冷了！

獏：呵，這樣走着說着話不是很好麼？

張：是的，可是，回去的路上只有我一個人，你知道有時候我耐不住一刻的寂寞。電車上倒是有許多人，熱熱鬧鬧的，可是擠不上。不然就坐三輪車回去，把時間縮短一點也好，我又不願意花那個錢，太冤枉了！爲什麼我要把你送到家然後自己叫三輪車回去？又不是你的男朋友！——除非你替我出一半錢。

獏：好了好了，不要嘰咕了，你叫三輪車回去，我出一半。

張：好的，那麼。

張愛玲沒有一百元的票子，問獏夢借了兩百塊，坐車用了一百七十，在車上一路算着獏夢應當出八十五，下次要記着還她一百十五元。她們的錢向來是還來還去，很少淸賬的時候。

註一：我替她取名『炎櫻』，她不甚喜歡，恢復了原來的名姓『莫黛』——『莫』是姓的譯音，『黛』是因爲皮膚黑——然後她自己從阿部教授那裏，發現日本古傳說裏有一種吃夢的獸叫做『獏』，就改『莫』爲『獏』，『獏』可以代表她的爲人，而且雲鬢高聳，本來也像個有角的小獸。『獏黛』讀起來不大好聽，有點像『麻袋』，有一次在電話上又被人聽錯了當作『毛頭』，所以又改爲『獏夢』。這一次又有點像『獏母』。可是我不預備告訴她了。

註二：因爲『愛玲』這名字太難聽，所以有時候稱『張愛』。

氣短情長及其他

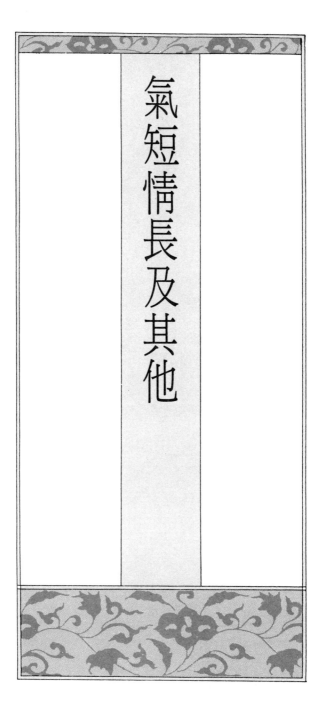

一、氣短情長

朋友的母親閒下來的時候常常戴上了眼鏡，立在窗前看街。英文大美晚報從前有一欄叫做『生命的橱窗』，零零碎碎的見聞，很有趣，很能代表都市的空氣的，像這位太太就可以每天寫上一段。有一天她看見一個男人，也還穿得相當整齊，無論如何是長衫階級，在那兒打一個女人，一路扭打着過來。許多旁觀者看得不平起來，向那女人叫道：『送他到巡捕房裏去！』女人哭道：『我不要他到巡捕房去，我要他回家去呀！』又向男人哀求道：『回去罷——回去打我罷！』

這樣的事，聽了眞叫人生氣，又拿它沒奈何。

二、小女人

我們門口，路中心有一塊高出來的『島嶼』，水門汀上鋪了泥，種了兩排長青樹。時常有些野孩子在那兒玩，在小棵的綠樹底下拉了屎。有一個八九歲的女孩，微黃的，長長的臉，淡眉毛，窄瘦的紫襖藍袴，低着頭坐在階沿，油垢的頭髮一綹綹披到臉上來，和一個朋友研究織絨線的道理。我覺得她有些地方很像我，走過的時候不由得多看了兩眼。她非常高興的樣子，抽掉了兩根針，把她織好的一截粉藍絨線的小袖口套在她朋友腕上試樣子。她朋友伸出一隻手，左右端相，也是喜孜孜的。

她的絨線一定只夠做這麼一截子小袖口，我知道。因爲她很像我的緣故，我雖然一路走過去，頭也沒回，心裏卻稍稍有點悲哀。

三、家主

有一次我把一隻鞋盒子拖出來，丟在房間的中央，久久沒有去收它。阿媽和她的乾妹妹，來幫忙的，兩人捧了濕衣服到陽台上去曬，穿梭來往，走過那鞋盒，總是很當心地從旁邊繞過，從來沒踢到它，也沒把它拿走，彷彿它天生應當在那裏的，我坐在書桌前面，回過頭來看到這情形，就想着：這大約就是身爲一家之主的感覺罷？可是我在家裏向來是服低做小慣了的，那樣的權威倒也不羨慕。傭人、手藝人，他們所做的事我不在行的，所以我在他們之前特別地聽話。常常阿媽臨走的時候關照我：『愛玲小姐，電爐上還有一壺水，開了要灌到熱水瓶裏，冰箱上的撲落你把它插上。』我的一聲『噢！』答應得非常響亮。對裁縫也是這樣，只要他扁着嘴酸酸洞明，我馬上覺得我的衣料少買了一尺。有些太太們，雖然也嗇刻，逢到給小賬的時候卻是很高興的，這使她們覺得她們到處是主人。我在必須給的場合自然也給，而且一點也不敢少，可是心裏總是不大情願，沒有絲毫快感。上次爲了印書，叫了部卡車把紙運了來。姑姑問我：『錢預備好了沒有？』

我把一疊鈔票向她手裏一塞，說：『姑姑給他們，好麼？』

『爲什麼？』

『我害怕。』

她瞪目望着我，說：『你這個人！』然而我已經一溜煙躲開了。

後來她告訴我：『你損失很大呢，沒看見剛才那一幕。那些人眉花眼笑謝了又謝。』但我也不懊悔。

四、狗

今年冬天我是第一次穿皮襖。晚上坐在火盆邊，那火，也只是灰掩着的一點紅，實在冷，冷得瘪瘪縮縮，萬念俱息。手插在大襟裏，摸着裏面柔滑的皮，自己覺得像隻狗。偶爾碰到鼻尖，也是冰涼涼的，像狗。

五、孔子

孔子誕辰那天，阿媽的兒子學校裏放一天假。阿媽在廚房裏彎着腰掃地，同我姑姑道：『總是說孔夫子，到底這孔夫子是個什麼人？』姑姑想了一想，答道：『孔夫子是個寫書的——』我在旁邊立刻聯想到蘇青與我之類的人，覺得很不妥當，姑姑又接下去說：『寫了「論語」、「孟子」，還有許許多多別的書。』

我們的飯桌正對着陽台，陽台上撐着個破竹簾子，早已破得不可收拾，夏天也擋不住西曬，冬天也不必拆除了，每天紅通通的太陽落山，或是下雨，高樓外的天色一片雪白，破竹子斜着飄着，很有蘆葦的感覺。有一向，蘆葦上拴了塊汚舊的布條子，從玻璃窗裏望出去，正像一個小人的側影，寬袍大袖，冠帶齊整，是個儒者，尤其像孟子，我總覺得孟子是比較矮小的。一連下了兩三個禮拜的雨，那小人在風雨中連連作揖點頭，雖然是個書生，一様也世事地一笑，人情練達，辯論的起點他非常地肯遷就，從霸道談到王道，從女人談到王道，左右逢源，娓娓動人，然而他的道理還是行不通……怎麼様也行不通。看了他使我很難過。每天吃飯的時候面對着窗外，不由得要注意到他，面色灰敗，風塵僕僕的左一個揖右一個揖。我屢次說：『這布條子要把它解下來了，簡直像個巫魘！』然而吃了飯起身，馬上就忘了。還是後來天晴了，阿媽晾衣裳，才拿了下來，從此沒看見了。

六、不肖

獏夢有個同學姓趙。她問我：『趙……怎麼寫的？』

我說：『一個「走」字，你知道的；那邊一個「肖」字。』

『哪個「肖」字？』

『「肖」是「相像」的意思。是文言，你不懂的。』

『「相像」麼？怎麼用法呢？』

『譬如說一個兒子不好，就說他「不肖」——不像他父親。古時候人很專制，兒子不像父親，就武斷地說他不好，其實，眞不見得，父親要是個壞人呢？』

『啊！你想可會，說道兒子不像父親，就等於罵他是私生子，暗示他不是他父親養的？』

『唉，你眞是，中文還不會，已經要用中文來弄花巧了！如果是的，怎麼這些年來都沒有人想到這一層呢？』

然而她還是笑著，追問：『可是你想，原來的意思不是這樣的麼？古時候的人也一樣地壞呀！』

七、孤獨

有一位小姐說：『我是這樣的脾氣。我喜歡孤獨的。』

獏夢低聲加了一句：『孤獨地同一個男人在一起。』

我大聲笑了出來。幸而都在玩笑慣了的，她也笑了。

八、少說兩句罷

獏夢說：『許多女人用方格子絨毯改製大衣，毯子質地厚重，又做得寬大，方肩膀，直線條，整個地就像一張床——簡直是請人躺在上面！』

瑞典人喝酒的時候，有一句極普通的祝詞（toast），叫做——

"Min skal, din śkal, alla vakra flickors skal."

譯成中文，就是：

『祝我自己健康，祝你健康，祝一切美麗的少女們健康！』

我看蘇青

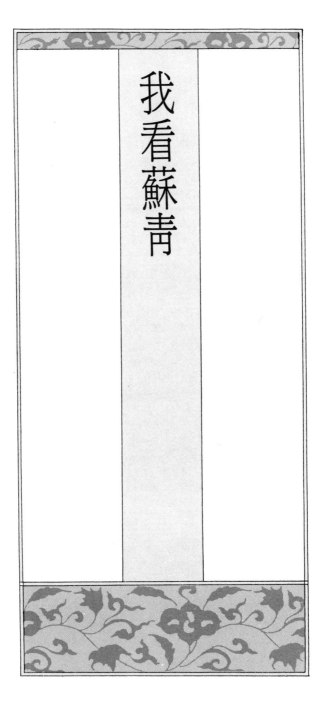

蘇青與我。不是像一般人所想的那樣密切的朋友，我們其實很少見面。也不是像有些人可以想像到的，互相敵視着。同行相妒，似乎是不可避免的，何況都是女人——所有的女人都是同行。可是我想這裏有點特殊情形。即使從純粹自私的觀點看來，我也願意有蘇青這麼一個人存在，願意她多寫，願意有許多人知道她的好處，因爲，低估了蘇青的文章的價值，就是低估了現地的文化水準。如果必須把女作者特別分作一欄來評論的話，那麼，把我同冰心白薇她們來比較，我實在不能引以爲榮，只有和蘇青相提並論我是甘心情願的。

至於私交，如果說她同我不過是業務上的關係，她敷衍我，爲了拉稿子，我敷衍她，爲了要稿費，那也許是較近事實的，可是我總覺得，也不能說一點感情也沒有。我想我喜歡她過於她喜歡我，是因爲我知道她比較深的緣故。那並不是因爲她比較容易懂。普通認爲她的個性是非常明朗的，她的話既多，又都是直說，可是她並不是一個淸淺到一覽無餘的人。人可以不懂她好在哪裏而仍舊喜歡同她做朋友，正如她的書可以有許多不大懂它的好處的讀者。許多人，對於文藝本來不感到興趣的，也要買一本『結婚十年』，看看裏面可有大段的性生活描寫。我想他們多少有一點失望，但仍然也可以找到一些笑罵的資料。大衆用這樣的態度來接受『結婚十年』，其實也無損於『結婚十年』的價値。在過去，大衆接受了『紅樓夢』，又有幾個不是因爲單戀着林妹妹或是寶哥哥，或是喜歡裏面的富貴排場？就連『紅樓夢』，大家也還恨不得把結局給修改一下，方才心滿意足。完全貼近大衆的心，甚至於就像從他們心裏生長出來的，同時又是高等的藝術，那樣的東西，不是沒有，例如有些老戲，有些民間故事，源久流長的；造形藝術一方面的例子尤其多。可是沒法子拿這個來做創作的標準。迎合大衆，或者可以左右他們一時的愛憎，然而不能持久。而且存心迎合，根本就寫不出蘇靑那樣的眞情實意的書。

而且無論怎麼說，蘇靑的書能夠多銷，能夠賺錢，文人能夠救濟自己，免得等人來救濟，豈不是很好的事麼？

我認爲『結婚十年』比『浣錦集』要差一點。蘇靑最好的時候能夠做到一種『天涯若比鄰』的廣大親切，喚醒了往古來今無所不在的妻性母性的回憶，個個人都熟悉，而容易忽略的。實在是偉大的。她就是『女人』，『女人』就是她。（但是我忽然想到有一點：從前她進行離婚，初出來找事的時候，她的處境是最確切地代表了一般女人。而她現在的地位是很特別的，女作家的生活環境與普通的職業女性，女職員女教師，大不相同，蘇青四周的那些人也有一種特殊的習氣，不能代表一般男人。而蘇青的觀察態度向來是非常的主觀，直接，所以，雖然這是一切職業文人的危機，我格外的爲蘇青慮到這一點。）也有兩篇她寫得太潦草，我讀了，彷彿是走進一個舊識的房間，還是那些擺設，可是主人不在家，心裏很惆悵。有人批評她的技巧不夠，其實她的技巧正在那不知不覺中，喜歡花俏的稚氣些的作者讀者是不能領略的。人家拿藝術的大帽子去壓她，她只有生氣，漸漸的也會心虛起來，因爲她自己也不知其所以然。她是眼低手高的。可是這些以後再談罷，現在且說她的人。她這樣問過我：『怎麼你小說裏從來沒有一個人像我的？我一直留心着，總找不到。』

我平常看人，很容易把人家看扁了，扁的小紙人，放在書裏比較便利。『看扁了』，不一定是發現人家的短處，不過是將立體化爲平面的意思，就像一枝花的黑影在粉牆上，已經畫好了在那裏，只等用墨筆勾一勾。因爲是寫小說的人，我想這是我的本分，把人生的來龍去脈看得很淸楚。如果原先有憎惡的心，看明白之後，也只有哀矜。眼中所見，有些天資很高的人，分明在哪裏走錯了一步，後來怎麼樣也不行了，因爲整個的人生態度的關係，就壞也壞得鬼鬼祟祟。有的也不是壞，只是沒出息，不乾淨，不愉快。我書裏多的是這等人，因爲他們最能夠代表現社會的空氣，同時也比較容易寫。從前人說『畫鬼怪易，畫人物難』，似乎倒是聖賢豪傑惡魔妖精之類的奇蹟比較普通人容易表現，但那是寫實功夫深淺的問題。寫實功夫進步到托爾斯泰那樣的程度，他的小說裏却是一班小人物寫得最成功，偉大的中心人物總來得模糊，隱隱地有不足的感覺。次一等的作家更不必說了，總把他們的好人寫得最壞。所以我想，還是慢慢地一步一步來罷，等我多一點自信再嘗試。

我寫到的那些人，他們有什麼不好我都能夠原諒，有時候還有喜愛，就因爲他們存在，他們是眞的。可是在日常生活裏碰見他們，因爲我的幼稚無能，我知道我同他們混在一起，得不到什麼好處的，如果必須有接觸，也是斤斤較量，沒有一點容讓，總要個恩怨分明。但是像蘇青，即使她有什麼地方得罪我，我也不會記恨的。——並不是因爲她是個女人。她起初寫給我的索稿信，一來就說『叨在同性』，我看了總要笑。——也不是因爲她豪爽大方，不像女人。第一，我不喜歡男性化的女人，而且根本，蘇青也不是男性化的女人。女人的弱點她都有，她很容易就哭了，多心了，也常常不講理。譬如說：前兩天的對談會裏，一開頭，她發表了一段意見關於婦女職業。『雜誌』方面的人提出了一個問題，說：『可是——』她凝思了一會，臉色慢慢地紅起來，忽然有一點生氣了，說：『我又不是同你對談——要你說我做什麼？』大家哄然笑了，她也笑。我覺得這是非常可愛的。

即使在她的寫作裏，她也沒有過人的理性。她的理性不過是常識——雖然常識也正是難得的東西。她與她丈夫之間，起初或者有負氣，到得離婚的一步，却是心平氣和，把事情看得非常明白簡單。她丈夫並不壞，不過就是個少爺。如果能夠一輩子在家裏做少爺少奶奶，他們的關係是可以維持下去的。然而背後的社會制度的崩壞，暴露了他的不負責。他不能養家，他的自尊心又限制了她職業上的發展。而蘇青的脾氣又是這樣，即使委曲求全也弄不好的了。只有分開。這使我想起我自己，從父親家裏跑出來之前，我母親秘密傳話給我：『你仔細想一想。跟父親，自然是有錢的，跟了我，可是一個錢都沒有，你要吃得了這個苦，沒有反悔的。』當時雖然被禁錮着，渴想着自由，這樣的問題也還使我痛苦了許久。後來我想，在家裏，儘管滿眼看到的是銀錢進出，也不是我的，將來也不一定輪得到我，最吃重的最後幾年的求學的年齡反倒被耽擱了。這樣一想，立刻決定了。這樣的出走沒有一點慷慨激昂。我們這時代本來不是羅曼蒂克的。

生在現在，要繼續活下去而且活得稱心，眞是難，就像『雙手擘開生死路』那樣的艱難鉅大的事，所以我們這一代的人對於物質生活，生命的本身，能夠多一點明瞭與愛悅，也是應當的。而對於我，蘇青就象徵了物質生活。

我將來想要一間中國風的房，雪白的粉牆，金漆桌椅，大紅椅墊，桌上放着豆綠糯米磁的茶碗，堆得高高的一盆糕糰，每一隻上面點着個胭脂點。中國的房屋有所謂『一明兩暗』，這當然是明間。這裏就有一點蘇青的空氣。

這篇文章本來是關於蘇青的，却把我自己說上許多，實在對不起得很，但是有好些需要解釋的地方，我只能由我自己出發來解釋。說到物質，與奢侈享受似乎是不可分開的。可是我覺得，刺激性的享樂，如同浴缸裏淺淺地放了水，坐在裏面，熱氣上騰，也感到昏濛的愉快，然而終究淺，即使躺下去，也沒法子淹沒全身。思想複雜一點的人，再荒唐，也難求得整個的沉湎。也許我見識得不夠多，所以這樣想。

我對於聲色犬馬最初的一個印象，是小時候有一次，在姑姑家裏借宿，她晚上有宴會，出去了，剩我一個人在公寓裏，對門的逸園跑狗場，紅燈綠燈，數不盡的一點一點，黑夜裏，狗的吠聲似沸，聽得人心裏亂亂地。街上過去一輛汽車，雪亮的車燈照到樓窗裏來，黑房裏家具的影子滿房跳舞，直飛到房頂上。

久已忘記了這一節了。前些時有一次較緊張的空襲，我們經濟力量夠不上避難，（因爲逃難不是一時的事，却是要久久耽擱在無事可做的地方。）轟炸倒是聽天由命了，可是萬一長期地斷了水，也不能不設法離開這城市。我忽然記起了那紅綠燈的繁華，雲裏霧裏的狗的狂吠。我又是一個人坐在黑房裏，沒有電，磁缸裏點了一支白蠟燭，黃磁缸上凸出綠的小雲龍，靜靜含着圓光不吐。全上海死寂，只聽見房間裏一隻鐘滴答滴答走。蠟燭放在熱水汀上的一塊玻璃板上，隱約照見熱水汀管子的撲落，撲落上一個小箭頭指着『開』，另一個小箭頭指著『關』，恍如隔世。今天的一份小報還是照常送來的，拿在手裏，有一種奇異的感覺，是親切、傷慟。就着燭光，吃力地讀着，什麼郎什麼翁，用我們熟悉的語調說着俏皮話，關於大餅，白報紙，暴發戶，慨嘆着回憶到從前，三塊錢叫堂差的黃金時代。這一切，在着的時候也不曾爲我所有，可是眼看它毀壞，還是難過的——對於千千萬萬的城裏人，別的也沒有什麼了呀！

一隻鐘滴答滴答，越走越響。將來也許整個的地面上見不到一隻時辰鐘。夜晚投宿到荒村，如果忽然聽見鐘擺的滴答，那一定又驚又喜——文明的節拍！文明的日子是一分一秒劃分清楚的，如同十字布上挑花。十字布上挑花，我並不喜歡，綉出來的也有小狗，也有人，都是一曲一曲，一格一格，看了很不舒服。蠻荒的日夜，沒有鐘，只是悠悠地日以繼夜，夜以繼日，日子過得像軍窖的淡青底子上的紫暈，那倒也好。

我於是想到我自己，也是充滿了計畫的。在香港讀書的時候，我眞的發憤用功了，連得了兩個奬學金，畢業之後還有希望被送到英國去。我能夠揣摩每一個教授的心思，所以每一樣功課總是考第一。有一個先生說他教了十幾年的書，沒給過他給我的分數。然後戰爭來了，學校的文件紀錄統統燒掉，一點痕跡都沒留下。那一類的努力，即使有成就，也是注定了要被打翻的罷？在那邊三年，於我有益的也許還是偸空的遊山玩水，看人，談天，而當時總是被逼迫着，心裏很不情願，認爲是糟蹋時間。我一個人坐着，守着蠟燭，想到從前，想到現在，近兩年來孜孜忙着的，是不是也注定了要被打翻的——我應當有數。

後來看到『天地』，知道蘇青在同一晚上也感到非常難過。然而這末日似的一天終於過去了。一天又一天。淸晨躺在床上，聽見隔壁房裏嗤嗤嗤拉窗簾的聲音，後門口，不知哪一家的男傭人在同我們阿媽說話，只聽見嗡嗡的高聲，不知說些什麼，聽了那聲音，使我更覺得我是深深睡在被窩裏，外面的屋瓦上應當有白的霜——其實屋上的霜，還是小時候在北方，一早起來常常見到的，上海難得有——我向來喜歡不把窗簾拉上，一睜眼就可以看到白天。即使明知道這一天不會有什麼事發生的，這堂堂的開頭也可愛。

到了晚上，我坐在火盆邊，就要去睡覺了，把炭基子戳戳碎，可以有非常溫暖的一刹那；炭屑發出很大的熱氣，星星紅火，散佈在高高下下的灰堆裏，像山城的元夜，放的烟火，不由得使人想起唐宋的燈市的記載。可是我眞可笑，用鐵鉗夾住火楊梅似的紅炭基，只是捨不得弄碎它。碎了之後，燦爛地大燒一下就沒有了。雖然我馬上就要去睡了，再燒下去於我也無益，但還是非常心痛。這一種吝惜，我倒是很喜歡的。

我有一件藍綠的薄棉袍，已經穿得很舊，袖口都泛了色了，今年拿出來，才上身，又脫了下來，唯其因爲就快壞了，更是看重它，總要等再有一件同樣的顏色的，才捨得穿。吃菜我也不講究換花樣。才夾了一筷子，說：『好吃，』接下去就說：『明天再買，好麼？』永遠蟬聯下去，也不會厭。姑姑總是嘲笑我這一點，又說：『不過，不知道，也許你們這種脾氣是載福的。』

我做了個夢，夢見我又到香港去了，船到的時候是深夜，而且下大雨。我狠狽地拎着箱子上山，管理宿舍的天主教尼僧，我不敢驚醒她們。只得在黑漆漆的門洞子裏過夜。（也不知道爲什麼我要把自己刻劃得這麼可憐，她們何至於這樣地苛待我。）風向一變，冷雨大點大點掃進來，我把一雙脚直縮直縮，還是沒處躲。忽然聽見汽車喇叭響，來了闊客，一個施主太太帶了女兒，才考進大學，以後要住讀的。汽車夫砰砰拍門，宿舍裏頓時燈火輝煌，我趁亂向裏一鑽，看見舍監，我像見晚娘似的，陪笑上前稱了一聲『Sister』。她淡淡地點了點頭，說：『你也來了？』我也沒有多寒暄，逕自上樓，找到自己的房間。夢到這裏爲止。第二天我告訴姑姑，一面說，漸漸脹紅了臉，滿眼含淚；後來在電話上告訴一個朋友，又哭了；在一封信裏提到這個夢，寫到這裏又哭了。簡直可笑——我自從長大自立之後實在難得掉眼淚的。

我對姑姑說：『姑姑雖然經過的事很多，這一類的經驗却是沒有的，沒做過窮學生，窮親戚。其實我在香港的時候也不至於窘到那樣，都是我那班同學太闊了的緣故。』姑姑說：『你什麼時候做過窮親戚的？』我說：『我最記得有一次，那時我剛離開父親家不久，舅母說，等她翻箱子的時候她要把表姐們的舊衣服找點出來給我穿。我連忙說：「不，不，眞的，舅母不要！」立刻紅了臉，眼淚滾下來了。我不由得要想，從幾時起，輪到我被周濟了呢？』

眞是小氣得很，把這些都記得這樣牢，但我想於我也是好的。多少總受了點傷，可是不太嚴重，不夠使我感到劇烈的憎惡，或是使我激越起來，超過這一切；只夠使我生活得比較切實，有個寫實的底子；使我對於眼前所有格外知道愛惜，使這世界顯得更豐富。

想到貧窮，我就想起有一次，也是我投奔到母親與姑姑那裏，時刻感到我不該拖累了她們，對於前途又沒有一點把握的時候，姑姑那一向心境也不好，可是有一天忽然高興，因爲我想吃包子，用現成的芝麻醬作餡，捏了四隻小小的包子，蒸了出來。包子上面縐着，看了它，使我的心也縐了起來，一把抓似的，喉嚨裏一陣陣哽咽着，東西吃了下去也不知是什麼滋味。好像我還是笑着說『好吃』的。這件事我不忍想起，又願意想起。

看蘇青文章裏的紀錄，她有一個時期的困苦的情形雖然與我不同，感情上受影響的程度我想是與我相仿的。所以我們都是非常明顯地有着世俗的進取心，對於錢，比一般文人要爽直得多。我們的生活方式有很多不同的地方，但那是個性的關係。

姑姑常常說我：『不知道你從哪裏來的這一身俗骨！』她把我父母分析了一下，他們縱有缺點，好像都還不俗。有時候我疑心我的俗不過是避嫌疑，怕沾上了名士派，有時候又覺得是天生的俗。我自己爲『傾城之戀』的戲寫了篇宣傳稿子，擬題目的時候，腦子裏第一個浮起的是：『傾心吐膽話傾城』，套的是『苜蓿生涯話廿年』之類的題目，有一向非常時髦的，可是被我一學，就俗不可耐。

蘇青是——她家門口的兩棵高高的柳樹，初春抽出了淡金的絲，誰都說：『你們那兒的楊柳眞好看！』她走出走進，從來就沒看見。可是她的俗，常常有一種無意的雋逸。譬如今年過年之前，她一時錢不湊手，性急慌忙在大雪中坐了輛黃包車，載了一車的書，各處兜售。書又掉下來了，『結婚十年』龍鳳帖式的封面紛紛滾在雪地裏，眞是一幅上品的圖畫。

對於蘇青的穿着打扮，從前我常常有許多意見，現在我能夠懂得她的觀點了。對於她，一件考究衣服就是一件考究衣服；於她自己，是得用；於衆人，是表示她的身分地位；對於她立意要吸引的人，是吸引。蘇青的作風裏極少『玩味人間』的成分。

去年秋天她做了件黑呢大衣，試樣子的時候，要炎櫻幫着看看。我們三個人一同到那時裝店去，炎櫻說：『線條簡單的於她最相宜，』把大衣上的翻領首先去掉，裝飾性的摺襉也去掉，方形的大口袋也去掉，肩頭過度的墊高也減掉。最後，前面的一排大鈕扣也要去掉，改裝暗鈕。蘇青漸漸不以爲然了，用商量的口吻，說道：『我想……鈕扣總要的罷？人家都有的！沒有，好像有點滑稽。』

我在旁邊笑了起來，兩手插在雨衣袋裏，看着她。鏡子上端的一盞燈，強烈的青綠的光正照在她臉上，下面襯着寬博的黑衣，背景也是影幢幢的，更顯明地看見她的臉，有一點慘白。她難得有這樣靜靜立着，端相她自己，雖然微笑着，因爲從來沒這麼安靜，一靜下來就像有一種悲哀，那緊湊明倩的眉眼裏有一種橫了心的鋒稜，使我想到『亂世佳人』。

蘇青是亂世裏的盛世的人。她本心是忠厚的，她願意有所依附；只要有個千年不散的筵席，叫她像『紅樓夢』裏的孫媳婦那麼辛苦地在旁邊照應着，招呼人家吃菜，她也可以忙得興興頭頭。她的家族觀念很重，對母親，對弟妹，對伯父，她無不盡心幫助，出於她的責任範圍之外。在這不可靠的世界裏，想要抓住一點熟悉可靠的東西，那還是自己人。她疼小孩子也是因爲『與其讓人家佔我的便宜，寧可讓自己的小孩佔我的便宜。』她的戀愛，也是要求可信賴的人，而不是尋求刺激。她應當是高等調情的理想對象，伶俐倜儻，有經驗的，什麼都說得出，看得開，可是她太認眞了，她不能輕鬆。也許她自以爲是輕鬆的，可是她馬上又會怪人家不負責。這是女人的矛盾麼？我想，倒是因爲她有着簡單健康的底子的緣故。

高級調情的第一個條件是距離——並不一定指身體上的。保持距離，是保護自己的感情，免得受痛苦。應用到別的上面，這可以說是近代人的基本思想，結果生活得輕描淡寫的，與生命之間也有了距離了。蘇青在理論上往往不能跳出流行思想的圈子，可是以蘇青來提倡距離，本來就是笑話，因爲她是那樣的一個興興轟轟火燒似的人，她沒法子伸伸縮縮，寸步留心的。

我純粹以寫小說的態度對她加以推測，錯誤的地方一定很多，但我只能做到這樣。

有一次我同炎櫻說到蘇青，炎櫻說：『我想她最大的吸引力是：男人總覺得他們不欠她什麼，同她一起很安心。』然而蘇青認爲她就吃虧在這裏。男人看得起她，把她當男人看待，凡事由她自己負責。她不願意了，他們就說她自相矛盾，新式女人的自由她也要，舊式女人的權利她也要。這原是一般新女性的悲劇，可是蘇青我們不能說她是自取其咎。她的豪爽是天生的。她不過是一個直截的女人，謀生之外也謀愛，可是很失望，因爲她看來看去沒有一個人是看得上眼的，也有很笨的，照樣地也壞。她又有她天眞的一方面，輕易把人幻想得非常崇高，然後很快地又發現他卑劣之點，一次又一次，憧憬破滅了。

於是她說：『沒有愛，』微笑的眼睛裏有一種藐視的風情。但是她的諷刺並不徹底，因爲她對於人生有着太基本的愛好，她不能發展到刻骨的諷刺。

在中國現在，諷刺是容易討好的。前一個時期，大家都是感傷的，充滿了未成年人的夢與嘆息，雲裏霧裏，不大懂事。一旦懂事了，就看穿一切，進到諷刺。喜戲而非諷刺喜劇，就是沒有意思，粉飾現實。本來，要把那些濫調的感傷清除乾淨，諷刺是必須的階段，可是很容易停留在諷刺上，不知道在感傷之外還可以有感情。因爲滿眼看到的只是殘缺不全的東西，就把這殘缺不全認作眞實——性愛就是性行爲；原始的人沒有我們這些花頭不也過得很好的麼？是的，可是我們已經文明到這一步，再想退保獸的健康是不可能的了。

從前在學校裏被逼着唸聖經，有一節，記不清楚了，彷彿是說，上帝的奴僕各自領了錢去做生意，拿得多的人，可以獲得更多；拿得少的人，連那一點也不能保，上帝追還了錢，還責罰他。當時看了，非常不平。那意思實在很難懂，我想在這裏多解釋兩句，也還怕說不清楚。總之，生命是殘酷的。看到我們縮小又縮小的、怯怯的願望，我總覺得有無限的慘傷。

有一陣子，外間傳說蘇青與她離了婚的丈夫言歸於好了。我一向不是愛管閒事的人，聽了却是很擔憂。後來知道完全是謠言，可是想起來也很近情理，她起初的結婚是一大半家裏做主的，兩人都是極年輕，一同讀書長大，她丈夫幾乎是天生在那裏，無可選擇的，兄弟一樣的自己人。如果處處覺得，『還是自己人！』那麼對他也感到親切了，何況他們本來沒有太嚴重的合不來的地方。然而她的離婚不是賭氣，是仔細想過來的。跑出來，在人間走了一趟，自己覺得無聊，又回去了，這樣地否定了世界，否定了自己，蘇青是受不了的。她會變得暗啞了，整個地消沉下去。所以我想，如果蘇青另外有愛人，不論是爲了片刻的熱情還是經濟上的幫助，總比回到她丈夫那裏去的好。

然而她現在似乎是眞的有一點疲倦了。事業，戀愛，小孩在身邊，母親在故鄉的匪氛中，弟弟在內地生肺病，妹妹也有她的問題，許許多多牽掛。照她這樣生命力強烈的人，其實就有再多的拖泥帶水也不至於累倒了的，還是因爲這些事太零碎，各自成塊，缺少統一的感情緣故。如果可以把戀愛隔開來作爲生命的一部，一科，題作『戀愛』，那樣的戀愛還是代用品罷？

蘇青同我談起她的理想生活。丈夫要有男子氣概，不是小白臉，人是有架子的，即使官派一點也不妨，又還有點落拓不羈。他們住在自己的房子裏，常常請客，來往的朋友都是談得來的，女朋友當然也很多，不過都是年紀比她略大兩歲，容貌比她略微差一點的，免得麻煩。丈夫的職業性質是常常要有短期的旅行的，那麼家庭生活也不至於太刻板無變化。丈夫不在的時候她可以匀出時間來應酬女朋友（因爲到底還是不放心）。偶爾生一場病，朋友都來慰問，帶了吃的來，還有花，電話鈴聲不斷。

絕對不是過分的要求，然而這裏面的一種生活空氣還是早兩年的，現在已經沒有了。當然不是說現在沒有人住自己的小洋房，天天請客吃飯。——是那種安定的感情。要一個人爲她製造整個的社會氣氛，的確很難，但這是個性的問題。越是亂世，個性越是突出，人與人之間的差別是很大的。難當然是難找。如果感到時間偪促，那麼，眞的要說偪促，她的時間已經過去了——中國人嘴裏的『花信年華』，不是已經有遲暮之感了嗎？可是我從小看到的，儘有許多三、四十歲的美婦人。『傾城之戀』裏的白流蘇，在我原來的想像中決不止三十歲，因爲恐怕這一點不能爲讀者大衆所接受，所以把她改成二十八歲。（恰巧與蘇青同年，後來我發現。）我見到的那些人，當然她們是保養得好，不像現代職業女性的勞苦。有一次我和朋友談話之中研究出來一條道理，駐顏有術的女人總是（一）身體相當好，（二）生活安定，（三）心裏不安定。因爲不是死心塌地，所以時時注意到自己的體格容貌，知道當心。普通的確是如此。蘇青現在是可以生活得很從容的，她的美又是最容易保持的那一種，有輪廓，有神氣的。——這一節，都是惹人見笑的話，可是實在很要緊——有幾個女人是爲了她靈魂的美而被愛。

我們家的女傭，男人是個不成器的裁縫，然而那一天空襲過後，我在昏夜的馬路上遇見他，看他急急忙忙直奔我們的公寓，慰問老婆孩子，倒是感動人的。我把這個告訴蘇青，她也說：『是的——』稍稍沉默了一下。逃難起來，她是只有她保護人，沒有人保護她的，所以她近來特別地膽小，多幻想，一個慣壞了的小女孩在夢魘的黑暗裏。她忽然地會說：『如果炸彈把我的眼睛炸壞了，以後寫稿子還得嘴裏唸出來叫別人記，那多要命呢——』這不像她平常的爲人。心境好一點的話，不論在什麼樣的患難中，她還是有一種生之爛漫。多遇見患難，於她只有好處；多一點枝枝節節，就多開一點花。

本來我想寫一篇文章關於幾個古美人，總是寫不好。裏面提到楊貴妃。楊貴妃一直到她死，三十八歲的時候，唐明皇的愛她，沒有一點倦意。我想她決不是單靠着口才便給和一點狡智，也不是因爲她是中國歷史上唯一的一個具有肉體美的女人。還是因爲她的爲人的親熱，熱鬧。有了錢，就有熱鬧，這是很普遍的一個錯誤的觀念。帝王家的富貴，天寶年間的燈節，火樹銀花，唐明皇與妃嬪坐在樓上像神仙，百姓人山人海在樓下參拜；皇親國戚撥珠嵌寶的車子，路人向裏窺探了一下，身上沾的香氣經月不散；生活在那樣迷離惝恍的戲台上的輝煌裏，越是需要一個着實的親人。所以唐明皇喜歡楊貴妃，因爲她於他是一個妻而不是『臣妾』。我們看楊妃梅妃爭寵的經過，楊貴妃幾次和皇帝吵翻了，被逐，回到娘家去，簡直是『本埠新聞』裏的故事，與歷代宮闈的陰謀、詭秘森慘的，大不相同，也就是這種地方，使他們親近人生，使我們千載之下還能夠親近他們。

楊貴妃的熱鬧，我想是像一種陶磁的湯壺，溫潤如玉的，在腳頭，裏面的水漸漸冷去的時候，令人感到溫柔的惆悵。蘇青却是個紅泥小火爐，有它自己獨立的火，看得見紅艷艷的光，聽得見嗶哩剝落的爆炸，可是比較難伺候，添煤添柴，烟氣嗆人。我又想起胡金人的一幅畫，畫着個老女僕，伸手向火。慘淡的隆冬的色調，灰褐，紫褐。她彎腰坐着，龐大的人把小小的火爐四面八方包圍起來，圍裙底下，她身上各處都發出淒淒的冷氣，就像要把火爐吹滅了。由此我想到蘇青。整個的社會到蘇青那裏去取暖，擁上前來，撲出一陣陣的冷風——眞是寒冷的天氣呀，從來，從來沒這麼冷過！

所以我同蘇青談話，到後來常常有點戀戀不捨的。爲什麼這樣，以前我一直不明白。她可是要抱怨：『你是一句爽氣話也沒有的！甚至於我說出話來你都不一定立刻聽得懂。』那一半是因爲方言的關係，但我也實在是遲鈍。我抱歉地笑着說：『我是這樣的一個人，有什麼辦法呢？可是你知道，只要有多一點的時間，隨便你說什麼我都能夠懂得的。』她說：『是的，我知道——你能夠完全懂得的。不過，女朋友至多只能夠懂得，要是男朋友才能夠安慰。』她這一類的雋語，向來是聽上去有點過分，可笑，仔細想起來却是結實的眞實。

常常她有精采的議論，我就說：『你爲什麼不把這個寫下來呢？』她却睜大了眼睛，很詫異似地，把臉色正了一正，說：『這個怎麼可以寫呢？』然而她過後也許想着，張愛玲說可以寫，大約不至於觸犯了非禮勿視的人們，因爲，隔不了多少天，這一節意見還是在她的文章裏出現了。這我覺得很榮幸。

她看到這篇文章，指出幾節來說：『這句話說得有道理。』我笑起來了：『是你自己說的呀——當然你覺得有道理了！』關於進取心，她說：『是的，總覺得要向上，向上，雖然很朦朧，究竟怎樣是向上，自己也不大知道。——你想，將來到底是不是要有一個理想的國家呢？』我說：『我想是有的。可是最快最快也要許多年。即使我們看得見的話，也享受不到了，是下一代的世界了。』她嘆息，說：『那有什麼好呢？到那時候已經老了。在太平的世界裏，我們變得寄人籬下了嗎？』

她走了之後，我一個人在黃昏的陽台上，驟然看到遠處的一個高樓，邊緣上附着一大塊胭脂紅，還當是玻璃窗上落日的反光，再一看，却是元宵的月亮，紅紅地升起來了。我想道：『這是亂世。』晚烟裏，上海的邊疆微微起伏，雖沒有山也像是層巒疊嶂。我想到許多人的命運，連我在內的；有一種鬱鬱蒼蒼的身世之感。『身世之感』，普通總是自傷、自憐的意思罷，但我想是可以有更廣大的解釋的。將來的平安，來到的時候已經不是我們的了，我們只能各人就近求得自己的平安。然而我把這些話來對蘇青說，我可以想像到她的玩世的、世故的眼睛微笑望着我，一面聽，一面想：『簡直不知道你在說什麼！大概是藝術吧？』一看見她那樣的眼色，我就說不下去，笑了。

華麗緣

正月裏鄉下照例要做戲。這兩天大家見面的招呼一律都由『吃飯了沒有？』變成了『看戲文去啊？』閔少奶奶陪了我去，路上有個老婦人在渡頭洗菜，閔少奶奶笑吟吟的大聲問她：『十六婆婆，看戲文去啊？』我立刻擔憂起來，怕她回答不出，因爲她那樣子不像是花得起娛樂費的。她穿着藍一塊白一塊的衲襖，蹲在石級的最下層，臉紅紅的，抬頭望着我們含糊地笑着。她的臉型短而凹，臉上是一種風乾了的紅笑——一個小姑娘羞澀的笑容放在烈日底下晒乾了的。閔少奶奶一逕問着：『去啊？』老婦人便也答道：『去噯！你們去啊？』閔少奶奶便又親熱地催促着：『去啊？去啊？』說話間，我們業已走了過去，度過高高低低的黃土隴，老遠就聽見祠堂裏『哐哐哐哐』鑼鼓之聲。新搭的蘆蓆棚上貼滿了大紅招紙，寫着許多香艷的人名：『竺麗琴，尹月香，樊桂蓮。』而對着隆冬的淡黃田地，那紅紙也顯得是『寂寞紅』，好像擊鼓催花，迅即花開花落。

惟其因為是一年到頭難得的事，鄉下人越發要做出滿不在乎的樣子。衆口一詞都說今年這班子蹩脚，表示他們眼界高，看戲的經驗豐富。一個個的都帶着懶洋洋冷淸淸的微笑，兩手攏在袖子裏，惟恐人家當他們是和小孩子們一樣的眞心喜歡過年。開演前一天大家先去參觀劇場，提起那戲班子都搖頭。惟有一個負責人員，二、三十歲年紀，梳着西式分頭，小長臉，酒糟鼻子，學着城裏流行的打扮，穿着栗色充呢長袍，頸上圍着花格子小圍巾，他高高在上騎在個椅子背上，代表官方發言道：『今年的班子，行頭是好的——班子是普通的班子。可是我說，眞要是好的班子，我們榴溪這地方也請不起！是嚜？』雖不是對我說的，我在旁邊早已順帶地被折服了，他兀自心平氣和地翻來覆去說了七、八遍：『班子我沒看見，不敢說「好」的一個字。行頭是好的！班子呢是普通的班子。』

閔少奶奶對於地方戲沒什麼興趣，家下人手又缺，她第二天送了我便回去了。這舞台不是完全露天的，只在舞台與客座之間有一小截地方是沒有屋頂。台頂的建築很花俏，中央陷進去像個六角冰紋乳白大碗，每一隻角上梗起了棕色陶器粗稜。戲台方方的伸出來，盤金龍的黑漆柱上左右各黏着一份『靜』與『特等』的紙條。右邊還高掛着一個大自鳴鐘。台上自然有張桌子，大紅平金桌圍。場面上打雜的人便籠手端坐在方桌上首，比京戲裏的侍役要威風得多。他穿着一件灰布大棉袍，大個子，灰色的大臉，像一個陰官，肉眼看不見的，可是冥冥中在那裏監督着一切。

下午一兩點鐘起演。這是我第一次看見舞台上有眞的太陽，奇異地覺得非常感動。綉着一行行湖色仙鶴的大紅平金帳幔，那上面斜照着的陽光，的確是另一個年代的陽光。那繡花簾幔便也發出淡淡的腦油氣，沒有那些銷洋莊的假古董那麼乾淨。我想起上海我們家附近有個賣雜糧的北方舖子。他們的麵粉菉豆赤豆，有的裝在口袋裏，屜子裏，玻璃格子裏，也有的盛在大磁瓶裏，白磁上描着五彩武俠人物，瓶上安着亭亭的一個蓋，磁蓋上包着老藍布沿邊（不知怎麼做上去的），裏面還襯着層棉花，使它不透氣。襯着這藍布墊子，這瓶就有了濃厚的人情味。這戲台上佈置的想必是個中產的仕宦人家的上房，但是房間裏一樣還可以放着瓶瓶罐罐，裏面裝着餵雀子的小米，或是糖蓮子。可以想像房間裏除了紅木家具屏風字畫之外還有馬桶在床背後。烏沉沉的垂着湘簾，然而還是滿房紅馣馣的太陽影子。彷彿是一個初夏的上午，在一個興旺的人家。

一個老生坐在正中的一把椅子上，已經唱了半天了。他對觀衆負有一種道義上的責任，生平所作所爲都要有個交代。我雖聽不懂，總疑心他在忠君愛國之外也該說到賺錢養家的話，因爲那唱腔十分平實。老生是個闊臉的女孩子所扮，雖然也掛着烏黑的一部大髫鬚，依舊濃粧艷抹，塗出一張紅粉大面。天氣雖在隆冬，看那臉色總似乎香汗涔涔。他穿的一件敝舊的大紅金補服，完全消失在大紅背景裏——本來，他不過是小生的父親，一個淒慘的角色。

他把小生喚出來，吩咐他到姑母家去住一晌，靜心讀書，衙門裏大約過於吵鬧。小生的白袍周身繡藍鶴，行頭果然光鮮。他進去打了個轉身，又換了件檸檬黃滿繡品藍花鳥的長衣，出門作客，拜見姑母。坐下來，便有人護惜地替他把後襟掀起來，高高搭在椅背上，台下一直可以看見他後身大紅袴子的白袴腰與黑隱隱的汗衫。姑姪正在寒暄敍話，小姐上堂來參見母親，一看見公子有這般美貌，頓時把臉一呆，肩膀一聳，身子向後一縮，由拍板連打了兩個噎。然後她笑逐顏開，媚眼水淋淋的一個一個橫拋過來；情不自禁似的，把她豐厚的肩膀一抬一抬。得空向他定睛細看時，却又吃驚，又打了兩個噎。觀衆噗嗤噗嗤笑聲不絕，都說：『怎這麼難看相的？』又道：『怎麼這班子裏的人一個個的面孔都這麼難看？』又批評『腰身哪有這麼粗的？』我聽了很覺刺耳，不免代她難過，這才明白中國人所謂『抛頭露面』是怎麼一回事。其實這旦角生得也並不醜，厚敦敦的方圓臉，杏子眼，口鼻稍嫌笨重鬆懈了些；腮上倒是一對酒渦，粉荷色的面龐像是吹脹了又用指甲輕輕彈上兩彈而僥倖不破。頭髮仿照時行式樣，額前堆了幾大堆；臉上也爲了趨時，胭脂搽得淡淡的。身穿鵝黃對襟衫子，上繡紅牡丹，下面却是草草繫了一條舊白布裙。和小生的黃袍一比，便給他比下去了。一幕戲裏兩個主角同時穿黃，似乎是不智的，可是在那大紅背景之前，兩個人神光離合，一進一退，的確像兩條龍似的，又像是端午節鬧龍舟。

經老夫人介紹過了，表兄妹竟公然調起情來，一問一答，越挨越近。老夫人插身其間，兩手叉腰，歪着頭睋着他們，從這個臉上看到那個臉上。便不是宦人，就是鄉下的種田人家，也絕沒有這樣的局面。這老夫人若在京戲裏，無論如何對她總有相當的敬意的；紹興戲却是比較任性的年輕人的看法，很不喜歡她。天曉得，她沒有給他們多少阻礙，然而她還是被抹了白鼻子，披着一綹長髮如同囚犯，腦後的頭髮膠成一隻尖翹的角，又像個顯靈的鬼；穿的一身污舊的大紅禮服也和椅帔差不多。

小姐回房，心事很重，坐着唱了一段，然後吩咐丫鬟到書房去問候表少爺。丫鬟猜到了小姐的心事，覺得她在中間傳話也擔着干係，似乎也感到為難，站在穿堂裏也有一段獨唱，表明自己的立場。這丫鬟長長的臉，有點凹。是所謂『鞍轎臉』。頭髮就是便裝，後面齊臻臻的剪短了，前面的鬢髮裏插着幾朵紅絹花，是內地的文明結婚裏女嬪相的打扮。她穿一身石青摹本緞襖袴，繫一條湖綠腰帶，背後襯托着大紅帷幔，顯得身段極其伶俐，其實她的背有點駝，胸前勒着小緊身，只見心口頭微微墳起一塊。她立在舞台的一角，全身都在陰影裏，惟有一線陽光從上面射下來，像個惺忪隨便的 spotlight，不端不正恰恰照在她肚腹上。她一手叉腰，一手翹着蘭花手指，點住空中，一句句唱出來。紹興戲裏不論男女老少，一開口都是同一個腔調，在我看來也很應當。如果有個實驗性的西方歌劇，背景在十八世紀英國鄉村，要是敢一個唱腔到底，一定可以有一種特殊的效果，用來表現那平靜狹小的社會，裏面『人同此心，心同此理。』說起來莫不頭頭是道，可是永遠是那一套。紹興戲的社會是中國農村，可是不斷的有家裏人出去經商，趕考，做官，做師爺，『賺銅板』回來。紹興戲的歌聲永遠是一個少婦的聲音，江南那一帶的女人常有這種樣的；白油油的闊面頰，雖有滿臉橫肉的趨勢，人還是老實人；那一雙漆黑的小眼睛，略有點蝌蚪式，倒掛着，瞟起人來却又很大膽，手上戴着金戒指金鐲子，身上胖胖的像布店裏整疋的白布，聞着也有新布的氣味。生在從前，尤其在戲文裏，她大概很守婦道的，若在現在的上海杭州，她也可以在遊藝場裏結識個把男朋友，背夫捲逃，報上登出『警告逃妻湯玉珍』的小廣告，限她三日內回家。但是無論在什麼情形下，她都理直氣壯，彷彿放開喉嚨就可以唱上這麼一段。板紮的拍子，末了拖上個慢悠悠的『噯——噯——噯！』雖是餘波，也絕不耍弄花巧，照樣直着喉嚨，唱完爲止。那女人的聲音，對於心慌意亂的現代人是一粒定心丸，所以現在從都市到農村，處處風行着。那歌聲肉哚哚的簡直可以用手捫上去。這時代的恐怖，彷彿看一場恐怖電影，觀衆在黑暗中牢牢握住這女人的手，使自己安心。

而紹興戲在這個地方演出，因爲是它的本鄉，彷彿是一個破敗的大家庭裏，難得有一個發財衣錦榮歸的兒子，於歡喜中另有一種悽然。我坐在前排，後面是長板凳，前面却是一張張的太師椅與紅木炕床，坐在上面使人受寵若驚。我禁不住時時刻刻要注意到台上的陽光，那巨大的光筒，裏面一蓬蓬浮着淡藍的灰塵——是一種聽頭裝的日光，打開了放射下來，如夢如烟。……我再也說不清楚，戲台上照着點眞的太陽，怎麼會有這樣的一種悽哀。藝術與現實之間有一塊地方疊印着，變得恍惚起來；好像拿着根洋火在陽光裏燃燒，悠悠忽忽的，看不大見那淡橙黃的火光，但是可以更分明地覺得自己的手，在陽光中也是一件暫時的倏忽的東西……

台上那丫鬟唱了一會，手托茶盤，以分花拂柳的姿勢穿房入戶，跨過無數的門檻，來到書房裏，向表少爺一鞠躬下去，將茶盤高舉齊眉。這齣戲裏她屢次獻茶，公子小姐們總現出極度倦怠的臉色，淡淡說一句：『罷了。放在檯上。』表示不希罕。丫鬟來回奔走了兩次，其間想必有許多外交辭令，我聽不懂也罷。但見當天晚上公子便潛入繡房。

小姐似乎並沒有曉得他要來，且忙着在燈下繡鴛鴦，慢條斯理的先搓起線來，蹺起一隻腿，把無形的絲線繞在綉花鞋尖，兩隻手做工繁重。她坐的一張椅子不過是鄉下普遍的暗紅漆椅子，椅背上的一根横木兩頭翹起，如同飛簷，倒很有古意。她正坐在太陽裏，側着臉，暴露着一大片淺粉色的腮頷，那柔艷使人想起畫錦里的鴨蛋粉，裝在描金網紋紅紙盒裏的。只要身爲中國人，大約總想去聞聞她的。她耳朵上戴着個時式的獨粒頭假金剛鑽墜子，時而大大地一亮，那靜靜的亙古的陽光也像是哽咽了一下。觀衆此刻是用隱身在黑影裏的小生的眼光來偷覷着，愛戀着她的。她這時候也忽然變得天眞可愛起來了，一心一意就只想綉一對鴛鴦送給他。

小生是俊秀的廣東式棗核臉，滿臉的疙瘩相，倒豎着一字長眉，胭脂幾乎把整個的面龐都紅遍了。他看上去沒那女孩子成熟，可是無論是誰先起意的，這時候他顯得十分情急而又慌張。躲在她後面向她左端相，右端相，忍不住笑嘻嘻；待要躡脚掩上去一把抱住，却又不敢。最後到底鼓起了勇氣把兩隻手在她肩上虛虛的一籠，她早已嚇得跳了起來，一看原來是表兄，連忙客氣地讓座，大方地對談。古時候中國男女間的社交，沒有便罷，難得有的時候，原來也很像樣。中國原是個不可測的國度。小生一時被禮貌拘住了，也只得裝着好像表兄妹深夜相對是最普通的事。後來漸漸的言不及義起來，兩人站在台前，只管把蝴蝶與花與雙飛鳥左一比右一比。公子一句話逼過來，小姐又一句話宕開去。觀衆對於文藝腔的調情不感興趣，漸漸嘖有煩言。公子到萬不得已的時候便臉紅紅的把他領圈裏插着的一把摺扇抽出來，含笑在小姐臂上輕輕打一下。小姐慌忙把衫袖上撣兩撣，白了他一眼。許久，只是相持不下。

我注意到那綉着『樂怡劇團』橫額的三幅大紅幔子，正中的一幅不知什麼時候已經撤掉了，露出祠堂裏原有的陳設；裏面黑洞洞的，却供着孫中山遺像；兩邊掛着『革命尚未成功，同志仍須努力』的對聯。那兩句話在這意想不到的地方看到，分外眼明。我從來沒知道是這樣偉大的話。隔着台前的黃龍似的扭着的兩個人，我望着那副對聯，雖然我是連感慨的資格都沒有的，還是一陣心酸，眼淚都要掉下來了。

那佈景拆下來原來是用它代表床帳。戲台上打雜的兩手執着兩邊的竹竿，撐開那綉花幔子，在一旁侍候着。但看兩人調情到熱烈之際，那不懷好意的床帳便湧上前來。看樣子又像是不成功了，那張床便又悄然退了下去。我在台下驚訝萬分——如果用在現代戲劇裏，豈不是最大膽的象徵手法。

一唱一和，拖到不能再拖的時候，男人終於動手來拉了。女人便在鑼鼓聲中繞着台飛跑，一個逃，一個追，花枝招展。觀衆到此方才精神一振。那女孩子起初似乎是很大膽，事情發展到這地步，却也出她意料之外。她逃命似的，但終於被捉住。她心生一計，叫道：『噯呀，有人來了！』哄他回過頭去，把燈一口吹滅了，掙脫身跑到房間外面，一直跑到母親跟前，急得話也說不出，抖作一團。老夫人偏又糊塗得緊，只是閒閒坐着搖着扇子，問：『什麼事？』小姐吞吞吐吐半晌，和母親附耳說了一句隱語，她母親便用扇子敲了她一下，嗔道：『你這丫頭！表哥問你要什麼東西，還不給他就是了！』把她當個不懂禮貌的小孩子。她走出房門，芳心無主，徬徨了一會；頓時就像個塗脂抹粉穿紅着綠的胖孩子。掌燈回到自己房裏，表兄却已經不在那裏了，她倒是一喜，連忙將燈台放在地下，且去關門，上門。一道一道都門上了，表兄原來是躲在房裏的，突然跳了出來。她吃了一嚇，拍拍胸脯，白了他一眼，但隨即一笑接着一笑，不盡的眼波向他流過去。兩人重新又站到原來的地位，酬唱起來。在這期間，那張床自又出現了，在左近一聳一聳的只是徘徊不去。

末了，小生並不是用强，而是提出了一宗有力的理由——我非常想曉得是什麼理由——小姐還是揚着臉唱着：『又好氣來又好笑……』經他一席話之後便又愁眉深鎖起來，唱道：『左又難來右又難……』顯然是口氣已經鬆了。不一會，他便挽着她同入羅帳。她背後脖子根上有一塊肉肥敦敦的；一綹子細長的假髮沿着背脊垂下來，描出一條微駝的黑色曲線。小生只把她的脖子一勾，兩人並排，同時把腰一彎，頭一低，便鑽到帳子裏去了。那可笑的一刹那很明顯地表示他們是兩個女孩子。

老夫人這時候却又醒悟過來，覺得有些蹊蹺，獨自前來察看。敲敲門，叫『阿囡開門！』小姐顫聲叫母親等一等。老夫人道：『「母親」就「母親」，怎麼你「母母母母母」的——要謀殺我呀？』小姐不得已開了門放老夫人進來，自己却堅決地向床前一站，扛着肩膀守住帳門，反手抓着帳子。老夫人查問起來，她只說：『看不得的！』老夫人一定要看，她竟和母親扭打，被母親推了一跤，她立刻爬起身來，又去死守着帳門，掙扎著，又是一跤摜得老遠。母親揭開帳子，小生在裏面順勢一個跌撲，跪在老夫人跟前，衣褶飄起來搭在頭上蓋住了臉。老夫人叫喊起來道：『嚇殺我了！這是什麼怪物？』小姐道：『所以我說看不得的呀。』老夫人把他的蓋頭扯掉，見是自己的內姪，當即大發雷霆。老夫人坐在椅上，小姐便倚在母親肩膀上撒嬌，笑嘻嘻的拉拉扯扯，屢次被母親甩脫了手。老夫人的生氣，也不像是家法森嚴，而是一個賭氣的女人，別過臉去噘着嘴，把人不瞅不睬。後來到底饒了他們，吩咐公子先回書房去讀書，婚事以後補辦。不料他們立刻又黏纏在一起，笑吟吟對看，對唱，用肘彎互相推一下。老夫人橫攔在裏面，楞起了眼睛，臉對臉看看這個又看看那個；半晌，方才罵罵咧咧的把他們趕散了。

這一幕鄉氣到極點。本來，不管說的是什麼大戶人家的故事，即使是皇宮內院，裏面的人還是他們自己人，照樣的做粗事，不過穿上了平金綉花的衣裳。我想民間戲劇最可愛的一點正在此；如同唐詩裏的『銀釧金釵來負水，』——是多麼華麗的人生。想必從前是這樣，在印度就一直是這樣。

戲往下做着：小生帶着兩個書僮回家去了，不知是不是去告訴父親央媒人來求親。路上經過一個廟，進去祝禱，便在廟中『驚豔』，看中了另一個小姐。那小姐才一出場，觀衆便紛紛讚許道：『這個人末相貌好的！』『還是這個人好一點！』『就只有這一個還……』以後始終不絕口地誇着『相貌好』『相貌好』。我想無論哪個城裏女人聽到這樣的批評總該有點心驚膽戰，因爲曉得他們的標準，而且是非常狹隘苛刻的，毫無通融的餘地。這旦角矮矮的，生着個粉撲臉，櫻桃小口，端秀的鼻梁，腫腫的眼泡上輕輕抹了些胭脂。她在四鄉演出的時候大約聽慣了這樣的讚美，因此格外的矜持，如同慈禧太后的轎夫一樣穩重緩慢地抬着她的一張臉。她穿着玉色長襖，綉着兩叢寶藍色蘭花。小生這時候也換了淺藍綉花袍子。這一幕又是男女主角同穿着淡藍，看着就像是燈光一變，幽幽的，是庵堂佛殿的空氣了。小姐燒過香，上轎回府。兩個書僮磕起了頭來，尋不見他家公子；他已經跟到她們上賣身投靠了。——他那表妹將來知道了，作何感想呢？大概她可以用不着擔憂的，有朝一日他功成名就，奉旨完婚的時候，自會一路娶過來，決不會漏掉她一個。從前的男人是沒有負心的必要的。

小生找了個媒婆介紹他上門。這媒婆一搖一擺，搧着個蒲扇，起初不肯薦他去，因爲陌生人不知底細，禁不起他再三央告，畢竟經手把他賣進去了。臨走却有許多囑咐，說：『相公當心！你在此新來乍到，只怕你過不慣這樣的日子，諸事務必留心；主人面前千萬小心在意，同事之間要和和氣氣。我過幾天再來看你！』那悲悲切切的口吻簡直使人詫異——是從前人厚道，連這樣的關係裏都有親誼？小生得機會便將他的來意據實告訴一個丫鬟。丫鬟把小姐請出來，轉述給她聽。他便背剪着手面朝外站着，靜等她託以終身。這時候的戲劇性減少到不絕如縷。……

閔少奶奶抱着孩子接我，我一直賴着不走。終於不得不站起身來一同擠出去。我看看這些觀衆——如此鮮明簡單的『淫戲』，而他們坐在那裏像個教會學校的懇親會。眞是奇怪，沒有傳教師的影響，會有這樣無色彩的正經而愉快的集團。其中有貧有富，但幾乎一律穿着舊藍布罩袍。在這凋零的地方，但凡有一點東西就顯得是惡俗的賣弄，不怪他們對於鄉氣俗氣特別的避諱。有個老太太託人買布，買了件灰黑格子的，隱隱夾着點紅絲，老太太便罵了起來道：『把我當小孩子呀？』把顏色歸於小孩子，把故事歸於戲台上。我忍不住想問：你們自己呢？我曉得他們也常有偷情離異的事件，不見得有農村小說裏特別誇張用來調劑沉悶的原始的熱情，但也不見得規矩到這個地步。

劇場裏有個深目高鼻的黑瘦婦人，架着鋼絲眼鏡，剪髮，留得長長的擄到耳後，穿着深藍布罩袍——她是從什麼地方嫁到這村莊裏來的呢？簡直不能想像！——她欠起身子，親熱而又大方地和許多男人打招呼，跟着她的兒女稱呼他們『林伯伯！』『三新哥！』笑吟吟趕着他們說玩話。那些人無不停下來和她說笑一番，叫她『水根嫂。』男男女女都好得非凡。每人都是幾何學上的一個『點』——只有地位，沒有長度、寬度與厚度。整個的集會全是一點一點，虛線構成的圖畫；而我，雖然也和別人一樣的在厚棉袍外面罩着藍布長衫，却是沒有地位，只有長度、闊度與厚度的一大塊，所以我非常窘，一路跌跌衝衝，跟跟蹌蹌的走了出去。

（一九四七年作，一九八二年修訂於美國洛杉磯。）

小艾

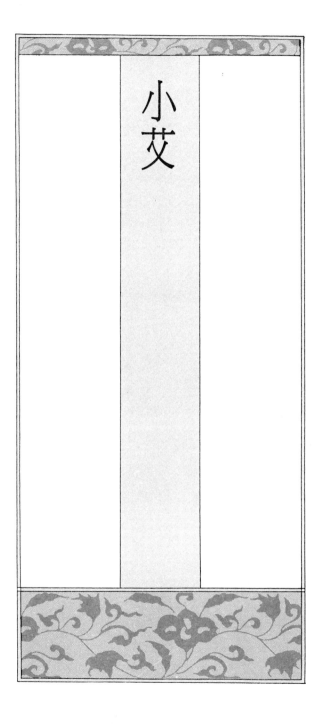

一

下午的陽光照到一座紅磚老式洋樓上。一隻黃蜂被太陽照成金黃色，在那黑洞洞的窗前飛過。一切寂靜無聲。

這種老式房子，房間裏面向來是光線很陰暗的。席五太太坐在靠窗的地方，桌上支著一面腰圓大鏡，對着鏡子在那裏剪前劉海。那時候還流行那種人字形的兩撇前劉海，兩邊很不容易剪得齊，需要用一種特別長的剪刀，她這一把還是特地從杭州買來的。

她忽然把前劉海一把撩上去，要看看自己不打前劉海是什麼樣子。五太太明年就三十了，在當時的『女界』彷彿有一種不成文法，一到三十歲，就得把前劉海撩上去，過了三十歲還打前劉海，要給人批評的。五太太在鏡子裏端相着自己的臉。胖胖的同字臉，容貌很平常，但是，都說她福相，也還有說她長得很甜淨。無論如何，是一點也不帶薄命相，然而……却生就了很奇異的命運。

她是塡房，前面那太太死得很早，遺下一子一女。五老爺年紀輕輕的，倒已經有了三房姬妾，後來因爲要續絃，把她們都打發了，單留下一個三姨太太。這五老爺在他們兄弟間很是一個人才，談吐又漂亮，心計又深，老輩的親戚們說起來，都說只有他一個人最有出息，頗有重振家聲的希望。果然他出去做過兩任官，很會弄錢。可惜更會花錢，揮霍起來，手面大得驚人。

他們席家和五太太娘家本來是老親，五老爺的荒唐，那邊也知道得很淸楚的。因此五太太出閣之前，她家裏人就再三的叮嚀，要她小心，不要給人家壓倒了，那三姨太太是一向最得寵的，得要給她一個下馬威。五太太過門後的第二天，三姨太太來見禮，給她磕頭，據說是五太太的態度非常倨傲。其實也並不是五太太自己的意思，她那兩個陪房的老媽子都是家裏預先囑咐過的，一邊一個攙住了她，硬把她胳膊拉緊了，連腰都不能彎一彎。三姨太太委屈得了不得，事後不免加油加醬向五老爺哭訴，五老爺十分生氣，大概對太太發了話了，太太受不了，大哭大鬧了兩回，大家都傳爲笑談，說這新娘子脾氣好大。五老爺也並不和她爭吵，只是從此以後就不理睬她了。他本來在北京弄了個差使，沒等滿月就帶着姨太太上任去了。

二

這時候已經是辛亥革命以後，像席五老爺這樣，以一個遺少的身分在民國時代出仕，一般人議論起來，已經要罵他變節了，何況他本身還做過清朝的官。大家都覺得他這時候再出去，很犯不着。但是五老爺一半也是由於負氣，因爲他揮霍得太厲害了，屢次鬧虧空，總是由家裏拿出錢來替他清了債務，弟兄們自然對他非常不滿，他覺得他在家裏很受歧視，他哪裏受得了這個氣，所以寧可出外另謀發展。五太太爲了這緣故，一直恨着她那幾個大伯。她一恨自己娘家，二恨她那婆婆不替她做主叫她跟著一塊兒去，三恨他們兄弟們，都是他們那種冷淡的態度把他逼走了。也不知怎麼，恨來恨去，就是恨不到她本人身上。

五老爺到了北京，起初兩年甚是得意，着實大闊了一陣。後來也是因爲浪費過分，大筆的挪用公款，不知怎麼又給鬧穿了，幸而有人從中斡旋，才沒有出事，結果依舊是由家裏拿出錢去彌縫，他不久也就回來了。三姨太太這幾年在北方獨當一面，散誕慣了，嫌老公館裏規矩大，不願意回去，便另外租了房子住在外面，對老太太只說她留在北京沒有一同回來。老太太裝糊塗，也不去深究。五老爺也住在外面，有時候到老公館裏來一趟，也只在書房裏坐坐，老太太房裏坐坐。

時間一年年的過去，在這家庭裏面，五太太又像棄婦又像寡婦的一種很不確定的身分已經確定了。小姑和姪女們常常到她房裏來玩，一天到晚串出串進，因爲她這裏沒有男人，不必有什麼顧忌。五太太天性也是一個喜歡熱鬧的人，人來了她總是很歡迎，成天嘻嘻哈哈，打打鬧鬧的，人都說她沒心眼兒。

三

這一天她正半閉着眼睛在那裏剪前劉海，免得短頭髮落到眼睛裏去，她的一個小姑婉小姐在外面叫了聲『五嫂，你在幹什麼呢？』便一掀簾子走了進來。五太太笑道：『沒有事情做。這兩天天越過越長了，悶死了！』婉小姐道：『可不是嗎！』一面伸着懶腰，就在一張楊妃榻上坐了下來，隨手摸了摸榻上蟠着的一隻大狸花貓，又道：『可有什麼吃的沒有？上回那糖還有吧？』說着，便去開那隻洋鐵筒，向裏面張了一張，便鼓着嘴撒起嬌來道：『五嫂！那松子糖沒有了！』五太太道：『明兒再去買去。剛才我叫陶媽去買枇杷去了，等着吃枇杷吧。』五太太對於吃零食最感興趣，平常總是她領着頭想吃這樣，想吃那樣，買了來大家一塊兒吃，所以她每月貼在這上面的錢爲數很可觀。那些妯娌們其實也不短吃她的，在背後却常常批評，說大家同是拿這一點月費，只有她一個人又沒有小孩，又沒有什麼別的負擔，全給她瞎花了。

五太太自己剪完了前劉海，又和婉小姐說：『你那劉海兒也長了，我來給你鉸鉸。』因把一張椅子挪了過來，兩人臉對臉坐着。五太太一面剪着，婉小姐閉着眼睛說道：『你看我這臉，反而比從前更黑了！』五太太便道：『你看我呢？』婉小姐瞇縫着眼睛向她臉上端詳着。她們前一向因爲看見報上有一種西洋藥品的廣告，說是搽在臉上可以褪掉一層皮、使皮膚變爲白嫩，就去買了來嘗試。一搽，果然臉上整大塊的皮褪下來，只好躲在房裏裝病不見人，等到褪完了，也確是又白又嫩。白了總有十幾天，那嫩皮膚大概是特別敏感，並沒有經過風吹日曬，倒已經變黑了，以前倒還沒有那樣黑。大家都十分氣憤。

四

那女傭陶媽買了一簍子枇杷回來，正遇見老姨太也到她們這裏來，便叫了聲『老姨太』，替她打起簾子。這老姨太年紀其實也並不大，不過三十來歲模樣，也還很有幾分風韻，穿着一件月白紗衫，黑華絲葛褲子。婉小姐是一身月白紗衫褲。五太太最羨慕的就是像她們那種瘦怯怯的身材，袖管裏露出的一截手腕骨瘦如柴，她拉着她們的手，說不出來的又愛又恨，嫌自己太胖了蠢相。

陶媽送了茶進來，五太太笑道：『咦，我們正是三缺一。』她們常常瞞着老太太偷偷的打牌，似乎五太太的興致比誰都好。她只管鬼鬼祟祟的含着微笑輕聲問着：『來不來？來不來？』老姨太笑道：『不知道三太太有工夫沒有。』那陶媽一聽見說打牌就很高興，因爲可以有進賬，所以老在旁邊逗留着沒有走開。五太太對於這陶媽却有幾分畏懼，她原來的那兩個陪房的老媽子已經走了，換了這個陶媽，但是五太太還是一樣的怕她，和她說起話來總是小心翼翼的，支使她做什麼事的時候，也總是笑嘻嘻的，用一種攛掇的口吻。當時五太太便悄悄的向她笑道：『老陶，你去看看三太太有工夫沒有！』陶媽一走，這裏就忙着叫另一個女傭劉媽把桌子擺起來，婉小姐和老婉太也幫着，把桌布紮起來，桌巾底下再墊上一床毯子，打起牌來可以沒有聲音，怕給老太太聽見了。同時陶媽已經把三太太請了來，他們家是三太太當家，她本來就比較忙，這兩天快過節了，自然更忙一點。一走進來，看見大家在那裏數籌碼，便笑道：『呦，又要打牌啦？我還當是什麼事情！』五太太笑道：『你不想打呀？又要來裝腔作勢的！』三太太笑道：『待會兒人家說婉妹妹全給我們帶壞了。』一面說着，已經坐了下來。

五

五太太讓三太太吃枇杷，老婉太早已剝了一顆，把那枇杷皮剝成一朵倒垂蓮模樣，蒂子朝下，十指尖尖擎着送了過來。老婉太從前是堂子裏出身，這種應酬功夫是最拿手的。五太太在旁說道：『今年的枇杷不好，沒有買着一回甜的。』三太太道：『今天田上來了人，帶了好些枇杷來，不知道比這兒買的可好些。還帶了些糯米來。哦，那兩個丫頭也買來了。』他們平常買丫頭，因爲老太太不喜歡外省人，總是帶信給他們原籍鄉下的師爺，叫他在那裏買了送來。他們在鄉下有許多田地，有一個師爺常駐在那裏收租。

大家坐下來打牌，打了四圈，看看已經日色西斜，三太太便道：『這時候老太太該醒了，得有一個人去一趟。』五太太道：『好，我去我去！』照規矩她們全得去，但是如果大家一同去，老太太勢必要疑心，說怎麼這許多人在一起，剛好一桌麻將。所以只好輪流的去。他們老太太其實是最愛打牌的，現在因爲年紀大了，有腰疼的毛病，在牌桌上坐不了一會就得叫別人代打，所以不大打了，就也不許她們打。老太太每天一大早起來，睡得又晚，媳婦們也得陪着她起早睡晚，但是她每天下午要睡午覺，却不許媳婦們睡，只要看見她們頭髮稍微有點毛，就要罵出很不好聽的話來。不過她從來不當面罵人的，總是隔着間屋子罵，或者叫一個女傭傳話，使那媳婦更覺得羞辱些。

五太太到老太太那裏去，硬着頭皮走進那陰暗高敞的大房間，老太太睡中覺剛起來，正坐在那裏吃牛奶，因爲嫌牛奶腥氣，裏面攙着有薑汁。一個女傭拿着把梳子站在椅子背後替她攏攏頭髮。

六

五太太叫了聲『媽』，問道：『媽睡好了沒有？』老太太只是待理不理的哼了一聲。五太太便站在一旁，準備着在旁邊遞遞拿拿的，其實也無事可做。她一有點窘，就常常在喉嚨口發出一種輕微的『啃』『啃』的咳嗽的聲音。

忽然聽見汽車喇叭響。上海這時候已經有汽車了，那皮球式的喇叭，一捏『叭』一響，聲音很短促，遠遠聽着就像一聲聲的犬吠。五老爺新買了一部汽車，所以五太太一聽見這聲音就想着，不要是他回來了，頓時張皇起來。他們夫婦倆也並不是不見面，不過平常五老爺來了，她們妯娌們本來要到老太太房裏請安的，聽見說五老爺在那裏，就不去了，五太太也是如此，但是要是她先在那裏，然後他來了，當然她也沒有廻避的道理。可是老太太有沒有聽見這汽車喇叭聲音呢？也甚至於老太太還以為她待在這兒不走，是有心要想跟他見面，那可太難為情了。

五太太正是六神無主，這裏門簾一掀，已經有一個男子走了進來，那女傭叫了聲『五老爺。』這席五老爺席景藩身材相當高，蒼白的長方臉兒，略有點鷹鈎鼻，一雙水泠泠的微暴的大眼睛，穿著件櫻白華絲紗長衫，身段十分蕭灑，一頂巴拿馬草帽拿在手裏，進門便在桌上一擱。老太太向來對兒子們是非常客氣的，尤其因為景藩向不住在家裏，隔兩天從小公館裏回來一次，陪老太太談談，老太太看見他更是眉花眼笑的，非常的敷衍他。因見他已經穿上了夏天的衣裳，便笑道：『你倒換了季了？不嫌冷哪，這兩天早晚還很涼呢。』又別過頭去向女傭說：『我還有那半瓶牛奶，熱了來給五爺吃，薑汁擱得少一點，剛才把我都辣死了！』

七

那女傭自去燙牛奶，五老爺便在下首一張椅子上坐了下來。五太太依舊侍立在一邊。普通一般的夫妻見面，也都是不招呼的，完全視若無覩，只當房間裏沒有這個人，他們當然也是這樣，不過景藩是從從容容的，態度很自然，五太太却是十分局促不安，一雙手也沒處擱，好像怎麼站着也不合適，先是斜伸着一隻腳，她是一雙半大腳，雪白的絲襪，玉色綉花鞋，這雙鞋似乎太小了，那鞋口扣得緊緊的，腳面肉唧唧的隆起一大塊。可不是又胖了！連鞋都嫌小了。她急忙把腳縮了回來，越發覺得自己胖大得簡直無處容身。又疑心自己頭髮毛了，可是又不能拿手去掠一掠，因爲那種行動彷彿有點近於搔首弄姿。也只好忍着。要想早一點走出去，又覺得他一來了她馬上就走了，也不大好，倒像是賭氣似的，老太太本來就說景藩不跟她好是因爲她脾氣不好，這更有的說了。因此左也不是右也不是，站在那裏繃了半天，方才搭訕着走了出來。一走出來，立刻抬起手來攏了攏頭髮，其實頭髮如果眞是蓬亂的話，這時候也是亡羊補牢，已經晚了。她的手指無意中觸到面頰上，覺得臉上滾燙，手指却是冰冷的。

她還沒回到自己房裏，先彎到下房裏，悄悄的和陶媽說：『待會兒三太太她們在這兒吃飯，你看有什麼菜給添兩樣，稍微多做一點，分一半送到書房裏去。五老爺今天回來了。』他們這裏的飯食本來是由廚房裏預備了，每房開一桌飯，但是廚房裏備的飯雖然每天照開，誰都不去吃它，嫌那菜做得不好，另外各自拿出錢來叫老媽子做『小鍋菜』，所以也可以說是行的分炊制。五太太房裏就是陶媽做菜，陶媽是吃長素的，做起菜來沒法兒嚐鹹淡，但是手藝很不錯，即或有時候做得不大好，五太太當然也不敢說什麼，依舊是人前人後的讚不絕口。

八

當下她向陶媽囑咐了一番，便回到自己房裏去，三太太婉小姐老姨太幾個人乾坐在牌桌旁邊，正等得不耐煩，嗑了一地的瓜子。五太太急急的入座，馬上就又打了起來。陶媽進來倒茶，五太太一面打着牌，又陪笑向陶媽說道：『老陶，等會兒菜裏少擱點醬油，昨天那魚太鹹了一點。』陶媽頓時把臉一沉，拖長了聲氣說道：『哦，太鹹啦？』五太太忙笑道：『挺好吃的，不過稍微太鹹了點。』陶媽也沒說什麼，自出去了。

她們這裏打着牌，不覺已經天黑了下來，打完了這一圈就要吃晚飯了。劉媽已經在外房敲着貓砵子『咪咪！咪咪！』的喚着。五太太這裏養了很多的貓。

牌桌上點着一盞綠珠瓔珞電燈，那燈光把人影放大了，幢幢的映在雪白的天花板上。陶媽忽然領着一個襤褸的小女孩走了進來，在那孩子肩頭推搡了一下，道：『叫太太。』衆人一齊回過頭來看看，猜着總是那新買來的丫頭，看上去至多不過七八歲模樣，灰撲撲的頭髮打着兩根小辮子，站在那裏彷彿很恐懼似的。婉小姐不由得笑了起來道：『這麼小會做什麼事呀？』五太太問了一聲：『幾歲呀？』陶媽便道：『太太問你幾歲呢。說呃！』又推了她一下道：『說呀！——說呀！』那孩子只是不作聲。陶媽道：『說是當九歲買來的呢，這樣子哪有九歲？』老姨太便笑着說：『小一點好，可以多使幾年。』五太太向陶媽說道：『把她辮子給鉸了，頭髮給鉸短了洗洗，別帶了蝨子過到貓身上。』陶媽答應着，就又把她帶出去了。

三太太她們在這裏吃了晚飯，又續了幾圈，方才各自回房。陶媽等人都走了，便氣烘烘的和五太太說道：『太太，一個好的丫頭給三太太揀去了！那一個總有十一二歲了，又機靈，這一個好了，連梳頭自己都不會梳！』五太太怔了一怔，方道：『算了，別說了。太機靈了也不好。』陶媽恨道：『太太就是太隨便了，所以人家總欺負你。』五太太也沒言語。

九

五太太因爲那小丫頭來的時候正是快要過端午節了，所以給取了個名字叫小艾。此後她們晚上打牌，就是小艾在旁邊伺候着。打牌打到夜深，陶媽劉媽都去睡了，小艾常是靠在門上打盹，等到打完了牌，地下吃了一地的瓜子殼花生衣果子核，五太太便高叫一聲：『小艾！掃地！』小艾睡眼矇朧的搶着從門背後拿出掃帚來，然後却把掃帚拄在地下，站在那裏發糊塗。大家都鬨然笑起來。

自從小艾來了，倒是添了許多笑料。據說是叫她餵貓，她竟搶貓飯吃。她年紀實在小，太重的事情當然也不能做，晚上替五太太搥搥腿，所以常常要熬夜，早上陶媽劉媽是一早就得起來的，小艾來了以後，就是小艾替她們拎洗臉水，下樓去到灶上拎一大壺熱水上來。廚房裏的人是勢利的，對於五太太房裏的人根本也就不怎麼放在眼裏，看這小艾又是新來的，又是個小孩子，所以總是叫她等着，別房裏的人來在她後面，却先把水拎了去了。等到小艾拎了洗臉水上來，陶媽便向她嚷：『我還當你死在廚房裏了！丫頭胚子懶骨頭，拎個水都要這些時候！跑哪兒去玩去了？』劈臉一個耳刮子。小艾才來的時候總是不開口，後來有時候也分辯，却是越分辯越打得厲害，並且說：『這小艾現在學壞了，講講她還是她有理！』

五太太照說是個脾氣最好的人，但是打起丫頭來也還是照樣打。只要連叫個一兩聲沒有立刻來到，來了就要打了。五太太沒事就愛磕瓜子，所以隨時的需要掃地，有時候地剛掃了，婉小姐她們或者又跑來一趟，磕些瓜子在地下，就要罵小艾掃地掃得不乾淨。五太太屋裏這些貓都是經過訓練的，貓屎通過都是拉在灰盆子裏，但是難免也有例外的時候。倘然在別處發現了貓屎，就又要打小艾，總是她沒有把貓灰盆子擱在最適當的地方。

十

無論什麼東西砸碎了，反正不是她砸的也是她砸的。五太太火起來就拿起鷄毛撣帚胡的抽她！問道：『下回還敢吧？還敢不敢了？』有時候也罰跪，罰她不許吃飯。小艾這孩子，本來是怎樣一個性情，是也看不出來了，似乎只是陰沉而呆笨。剛來的時候，問她家裏有些什麼人，她也答不上來，大家都笑，說哪有這樣快倒已經不記得了。其實記是記得的，不過越是問，她越是不說，因爲除此之外她也沒有別的方法可以表示絲毫的反抗。漸漸的，也就眞的忘記了。彷彿家裏有父親有母親，也有弟弟妹妹，但是漸漸的連這一點也都不確定起來。也是因爲在這樣小的年紀，就突然的好像連根拔了起來，而且落到了這樣一個地方，所以整個的覺得昏亂而迷惘。

她的衣服是主人家裏給她做的，所以比一般的女傭要講究些，照例給她穿得花花綠綠的很是鮮艷，也常常把六孫小姐的舊衣服給她穿。六孫小姐是五老爺前頭的太太生的那個小姐，照大排行是行六。六孫小姐那些綾羅綢緞的衣服，質地又不結實，顏色又嬌嫩，被小艾穿着操作，有時候才上身就撕破了或污損了，不免又是一場打駡，說她不配穿好衣裳。

她大概身體實在好，一直倒是非常結實。要不是受那些折磨的話，會長得怎樣健壯，簡直很難想像。六孫小姐出嫁那一年，小艾總也有十四五歲了，個子不高，圓臉，眼睛水汪汪的又大又黑，略有點吊眼梢。臉上長得很『喜相』，雖然她很少帶笑容的。也許因爲終年不見天日的緣故，她的皮膚是陰白色的，像水磨年糕一樣的磁實。

十一

那年正是北伐以後，到南京去謀事的人很多。五老爺也到南京去活動去了，帶着姨太太一塊兒去，在南京賃下了房子住着，住了些時，忽然寫了封信來，要接五太太到南京去。家裏的人聽見這話都非常驚異，在背後議論着，大都認爲這裏面一定有什麼花頭。五太太雖然也和她們同樣的覺得非常意外，但是她自有一種解釋，她想着一個人年紀大些，閱歷多了，自然把那些花花草草的事情都看得淡了，或者倒會念起夫婦的情分，也未可知。而且她一向在家裏替他照應他那兩個孩子，現在一個男孩子也大了，在一個洋學堂裏唸書，女孩子呢也已經嫁了。她在這方面的責任已了。從前沒好接她出去，大概也是因為有一個女孩子在她身邊——如果把六孫小姐也帶着，和姨太太住在一起，似乎不太好，人家要批評的，甚而至於對她的婚事也有妨礙。現在當然沒有這些問題了。五太太心中自是十分高興，當下就去整理行裝，把陶媽劉媽小艾都帶去，單留下一個粗做的女傭看守房間，照管那一羣貓。她想着要是把貓也帶了去，給家裏這些人看着，好像這一去就不打算回來了，倒有點不好意思，而且五老爺恐怕也不喜歡貓。

五太太到了南京，自然有僕人在車站上迎接，一同回到家裏。五老爺有應酬，出去了，只有三姨太太在那裏，三姨太太很客氣的招待着，但是却改了稱呼，不叫她『太太』而叫『五太太』，像是妯娌間或是平輩的親戚的稱呼，無形中替自己抬高了身分。五太太此來是抱着妥協的決心的，所以態度也非常謙遜，而且跟她非常親熱。當下兩人前嫌盡釋，五太太擦了把臉，姨太太便陪着她一同用飯。

十二

這三姨太太從前在堂子裏的時候名字叫做憶妃老九，她嫁給五老爺有十多年了，能夠一直寵擅專房，在五老爺這樣一個沒長性的人，不能不說是一個奇蹟。五太太帶來的幾個傭人都是久已聽見說這三姨太太生得怎樣美貌，不過一直沒有見過。計算她的年齡，總也有三十多了，倒是一點也看不出來。她是嬌小身材，頭髮剪短了燙得亂蓬蓬的，斜掠下來掩住半邊面頰，臉上胭脂抹得紅紅的，家常穿着件雪青印度綢旗衫，敞着高領子，露出頸子上四五條紫紅色的揪痧痕迹。她用一隻細長的象牙煙嘴吸着香煙，說着一口蘇州官話，和五太太談得十分熱鬧。

景藩不久也就回來了。五太太這幾年比從前又胖了，景藩一過四十，却是一年比一年瘦削，夫婦兩人各趨極端。這一天天氣很熱，他一回來就把長衣脫了，穿著一身紡綢短衫褲，短衫下面拖出很長的一截深青綉白花的汗巾。烏亮的分髮，刷得平平的貼在頭上。他和五太太初見面，不過問問她這一向老太太身體可好，又隨便問問上海家中的事情，態度却很和悅，五太太也就不像以前見了他那樣拘束得難受了。

憶妃想必和景藩預先說好了的，此後家下人等稱呼起來，不分什麼太太姨太太，一概稱爲『東屋太太』，『西屋太太』，並且她有意把西屋留給五太太住，自己住了東屋，因爲照例凡是『東』『西』並稱，譬如『東太后』『西太后』，總是『東』比較地位高一些。五太太也並不介意，對憶妃仍舊是極力的聯絡，沒事就到她房裏去坐着，說說笑笑，親密異常，而且到照相館裏去合拍了幾張照片，兩人四手交握，斜斜的站着拍了一張，同坐在一張S形的圈椅上又拍了一張。

十三

景藩和憶妃此後出去打牌看戲吃大菜，也總帶她一個。他們所交往的那些人裏面，有許多女眷都是些青樓出身的姨太太，五太太也非常隨和，一點也不搭架子。她對於那種繁華場中的生活與那些魅麗的人物也未始沒有羡慕之意。

五太太來了沒有多少日子，景藩就告訴她說，他這次到南京來，雖然有很好的門路，可惜運動費預備得不夠充裕，所以至今還沒有弄到差使，但是他已經羅掘俱空了，想來想去沒有別的法子，除非拿她的首飾去折變一筆款子出來，想必跟她商量她不會不答應的，一向知道她為人最是賢德。五太太聽了這話，當然沒有什麼說的，就把她的首飾箱子拿了出來給他挑揀，是值錢些的都拿了去了。

那年年底，景藩的差使發表了，大家都十分興奮。景藩寫了信回去告訴上海家裏，一方面憶妃早就在那裏催着他，要他把五太太送回去。這一天又在那裏和他交涉着，忽然看見有人在門口探了探頭，原來五太太有一件夾背心脫在憶妃房裏忘了帶回去了，所以差小艾來拿，小艾看見景藩在這裏，就沒敢冒冒失失的走進去。却被憶妃看見了，便向景藩扁着嘴笑了一笑，輕聲道：

『準是打發了來偷聽話的。』景藩便皺着眉喝道：『在那兒賊頭鬼腦的幹什麼？滾出去！』小艾忙走開了。她在景藩跟前做事的時候很少，但是一向知道這老爺的脾氣最難伺候。給他打手巾把子，那水一定要燙得不能下手，一個手巾把子絞起來，心裏都像被火灼傷了似的，火辣辣的燒痛起來。

十四

他們這裏有一架電話，裝在堂屋裏。有一天下午，電話鈴響了，剛巧小艾從堂屋裏走過，不見有人來接，只得走去接聽，是一個男子的聲氣，找老爺聽電話。小艾到憶妃房裏去說了，景藩才起來沒有一會，正在那裏剃鬍子，他向來是那種大爺脾氣，只管不慌不忙的，一面還和憶妃說着話，把鬍子剃完了，方才趿着拖鞋走了出來，拿起聽筒。不料那邊等不及，也說不定以爲電話斷了，已經掛上了。景藩道：『咦，怎麼沒有人了？』便把小艾叫了來問道：『剛才是誰打來的？』小艾道：『他沒說。』景藩道：『放屁！他沒說，你怎麼不問？——你不會聽電話，誰叫你聽的？』一面罵着，走上來就踢了她一下。小艾滿心寃屈，不禁流下淚來。五太太在房裏聽見了，覺得她要是在旁不作聲，倒好像是護着丫頭，而且這小艾當着憶妃的那些傭人面前給她丟人，也實在是可氣，便也趕出房來，連打了小艾幾下，厲聲道：『下回什麼電話來你都不許去聽！事情全給你躭誤了！』正說着，電話鈴倒又響了起來，是剛才那個人又打了來了，邀景藩去吃花酒。這一天晚上景藩本來答應兩位太太陪她們去看戲的，已經定好了一個包廂，結果是憶妃和五太太自己去了。

他們租的這房子是兩家合住的，後面一個院子裏住着另外一家人家，這家人家新死了人，這天晚上正在那裏做佛事。憶妃房裏的幾個女傭知道她出去看戲總要到很晚才會回來，而且景藩也出去了，她們估量着他只有回來得更晚，便趁這機會溜了出去，到後面去看熱鬧去了。陶媽向來不大喜歡和她們混在一起的，今天却也破了例，她本來是個吃齋唸佛的人，所以也跟着一同去看放燄口。

十五

家裏就剩下小艾一個人，陶媽臨走丟下話來，叫她把五太太房裏的爐子封上。她捧了一大畚箕煤進去，把火爐裏的灰出乾淨了，然後加滿了碎煤，把五太太的床也鋪好了。她只要是一個人的時候，總是很愉快的，房間裏靜悄悄的，只聽見鐘擺的滴答，她幾乎可以想像這是她自己的家，她在替自己工作。

快過年了，桌上的一盆水仙花照例每一枝都要裏上紅紙。她拿起剪刀，把紅紙剪出來，匝在水仙花梗子上，再用一點漿糊黏上。房間裏的燈光很暗，這城市的電燈永遠電力不足，是一種昏的紅黃色。窗外的西北風嗚嗚吼着，那雕花的窗櫺吹得格格的響。

景藩回來了。他本來散了席出來，就和兩個朋友到他相熟的一個姑娘那裏去坐坐，不知怎麼一來，把他給得罪了，他相信她一定有一個小白臉在那邊房裏，賭氣馬上就走了，坐了汽車無情無緒的回到家裏來。走進院門，走廊上點着燈，一看上房却是漆黑的，這才想起來，憶妃和五太太去聽戲去了，想必老媽子們全都跑哪兒賭錢去了，他越發添了幾分焦躁。五太太這邊他向來不大來的，看看這邊有一間房裏窗紙上却透出黃黃的燈光，景藩便踱了過來，把那棉門簾一掀。小艾吃了一驚，聲音很低微的說了聲：『老爺回來了。』景藩道：『人都上哪兒去了？怎麼太太去聽戲去了，這些人就跑得沒有影子了！』小艾道：『我去叫陶媽去。』景藩却皺着眉道：『不用了——這爐子滅了？怎麼這屋裏這樣冷？』小艾忙把那火爐上的門打開了，讓那火燒得旺些，又拿起火鉗戳了戳。

十六

她低着頭撥火，她那剪得很短的頭髮便披到腮頰上來，頭髮上夾着一隻假珐瑯的薄片別針，是一隻翠藍色的小鳳凰。景藩偶爾向她看了一眼，不覺心中一動。他倒挽着一雙手，在火爐旁邊前前後後踱了幾步，便在床上坐下了，說了聲：『拿牙籤來。』他接過牙籤，低着頭努着嘴很用心的剔着牙，一雙眼却只管盯着她看着。小艾覺得他那眼睛裏的神氣很奇怪，不由得心裏突突的跳了起來，跟着就脹紅了臉。可是一方面又覺得她這樣模糊的恐懼是沒有理由的，她從來也不想着自己長得好看，從來也沒有人跟她說過。而且老爺是一向對她很兇的，今天下午也還打過她。

景藩抬起胳膊來半伸了個懶腰，人向後一仰，便倒在床上，道：『來給我把鞋脫了。』他橫躺在那燈影裏，青白色的臉上微微浮着一層油光，像蠟似的。嘴黑洞洞的張着，在那裏剔牙。小艾手扶着椅背站在一張椅子背後，似乎躊躇了一會，然後她很突然的快步走了過來，蹲下來替他脫鞋。他那瘦長的腳穿着雪青的絲襪，腳底冰冷的，略有點潮濕。他忽然問道：『你幾歲了？』小艾沒有作聲。景藩微笑道：『怎麼不說話？唔？……幹嗎看見我總是這樣怕？』小艾依舊沒說什麼，站直了身子，便向房門口走去。景藩望着她却笑了，然後忽然換了一種聲氣很沉重的說道：『去給我倒杯茶來！』小艾站住了腳，但是並沒有掉過身來，自走到五斗橱前面，在托盤裏拿起一隻茶杯，對上一些茶滷，再冲上開水送了過來，擱在床前的一張茶几上。景藩却伸着手道：『咦？拿來給我！』小艾只得送到他跟前，他不去接茶，倒把她的手一拉，茶都潑在褥子上了。

十七

她在驚惶和混亂中仍舊不能忘記這是專門給老爺喝茶的一隻外國磁茶杯，砸了簡直不得了，她兩隻手都去護着那茶杯，一面和他掙扎着。景藩氣咻咻的吃吃笑了起來。

燈光是黯淡的紅黃色。

一到了將近午夜的時候，電力足了，電燈便大放光明起來，房間裏照得雪亮的，却是靜悄悄的聲息毫無。陶媽推開房門向裏面張望了一下，見景藩睡熟在床上，帳子沒有放下來，她心裏想他今天倒早，也不知道他什麼時候回來的。她輕輕的掩上了門，自退了出去，估量着五太太也就快要回來了，得要到廚房裏去看看那火腿粥燉得怎樣了，她們看了戲回來要吃消夜的。

廚房離開上房很遠，陶媽沿着那長廊一路走過去，只見前前後後的房屋都是黑洞洞的，那些別的女傭都還在隔壁看人家做佛事，沒有回來，陶媽是先回來了一步。她兩手抄在棉襖底下，縮着脖子快步走着，一陣寒風吹過來，身上就像是一絲不掛沒穿衣裳似的，索索的抖起來。院子裏黑沈沈的，遠遠聽見隔壁的和尚唸經，那波顫的喃喃音調，夾雜著神祕的印度語，高音與低音唱和着一起一落，叮呀呀敲着磬鈴鼓鈸，那音樂彷彿把半邊天空都籠罩住了，聽着只覺得惘惘的，有一種奇異的哀愁。陶媽這時候不知怎麼一來，忽然想起隔壁新死了人。這樣一想，正是有一點害怕，却聽見一陣嗚嗚咽咽的聲音，彷彿有人在那黑暗中哭泣，不禁毛髮皆豎。越是害怕，倒越是不敢停留下來，壯着膽子筆直的向前走去，再走了幾步，這就聽出來了，那聲音是從她們住的那間對廂房裏發出來的，這沒有別人，一定是小艾在那裏睡覺魘住了。

十八

當下陶媽定了定神，便走過去把房門一推，電燈一開，果然看見小艾伏在床上，她那哭聲却已經停止了，只是不免還有些息息率率的，發出那抽噎的聲音。陶媽高聲道：『小艾！睡得發糊塗啦？太太她們就要回來了，還不起來！』正說着，劉媽已經在走廊那一頭遙遙向她叫喚着：『回來了回來了！』陶媽便又向小艾吆喝了一聲：『太太回來了，還不起來！』因匆匆的回身向上房走去。

五太太看了戲回來，便跟着憶妃一同到她房裏去了。陶媽便也跟着到憶妃房裏去伺候着，幫着五太太把一件灰背領子黑絲絨斗篷脫了下來，搭在自己手臂上，當時便說了一聲：『老爺已經睡了。』五太太和憶妃聽見這話，却是不約而同的都向床上看了一眼，床上並沒有人。原來是睡在那邊房裏。大家都覺得很出意料之外，憶妃心裏自然是有點不痛快，便道：『老爺什麼時候回來的？這麼早倒已經睡了？』陶媽道：『老爺回來我都沒聽見。』五太太倒有點不好意思起來，本來到憶妃這裏來也沒打算久坐的，這時候倒不便馬上就走了，因搭訕着向陶媽笑道：『餓了！那火腿粥熬好了沒有？拿到這兒來吃，揀點泡菜來。』又向憶妃笑道：『你也吃點兒吧？』陶媽便到廚下去，把那一鍋火腿粥和兩樣下粥的菜用一隻托盤端了來，這裏憶妃的女傭已經擺上了碗筷，兩人對坐着，吃過了粥，又閒談了一會，五太太方才回房去了。

陶媽和劉媽都進房來伺候着，劉媽拎了水來預備五太太洗臉，雖然都是悄悄的踮着腳走路，依舊把景藩驚醒了，睜開眼來看了看。五太太笑道：『你醒了？今天怎麼睡得這麼早？』她倒有點擔心起來，想着他不要是病了。

十九

景藩也沒說什麼。五太太道：『有火腿粥挺好的，你要吃不要？』景藩隔了一會兒，方才懶洋洋的應了聲：『吃點兒也好。』五太太一回頭，忽然看見小艾來了，挨着房門站着，並沒有進來。

五太太不由得生起氣來道：『回來這半天怎麼看不見你影子？淨讓陶媽在這兒做事，你就不管了？』但是當着景藩，她向來不肯十分怎樣責罵傭人的，免得好像顯着她太兇悍了，失去了閨秀的風度，因此就這樣說了兩聲，也就算了，只道：『你去！去把粥拿來給老爺吃！』小艾灰白着臉色，一聲也沒言語，自出去了。然後她手裏拿着一隻托盤，端了一碗粥進來，向床前走去，低着眼皮並不去看他，但是心裏就像滾水煎熬一樣，她眞恨極了，恨不得能夠立刻吐出一口血來噴到他臉上去。她一步步的走近前來，把那托盤放下，擱在枕邊，景藩歪着身子躺着，便挑起一匙子來送到嘴裏去。他那眼光無意之間射到她臉上來，却是冷冷的，就像是不認識她一樣。對於小艾，却又是一種刺激，就彷彿憑空給人打了個耳刮子，心裏說不出來的難受，雖然自己也不解是爲什麼緣故。

還剩下大半碗粥，景藩便放下匙子，把那托盤一推，自睡下了。五太太便道：『給老爺打個手巾把子來。』小艾擦了個手巾把子遞過去，這天冷，從廚房裏提來的熱水冷得很快，從壺裏倒到臉盆裏，已經不是太熱了。景藩接過毛巾，只說了一聲：『一點也不燙！』便隨手一扔，那毛巾便落在地下。五太太皺著眉向小艾說道：『你這人這麼沒有記性！要燙一點的！』見她仍舊呆呆的樣子，便又提醒她道：『不會把熱水瓶裏的開水倒上一點麼？』

二十

小艾把臉盆裏的水倒了，再倒上些熱水瓶裏的水，她那生着凍瘡的紅腫的手插到那開水裏面，在一陣痲辣之後，雖然也感覺到有些疼痛，心裏只是恍恍惚惚的，彷彿她自己是另外一個人。五太太把那熱手巾把子接了過去，親自遞給景藩，小艾便把臉盆端了出去，粥碗和托盤也拿了出去，掩上房門，五太太自去收拾安寢不提。

沒有幾天就過年了，景藩在正月裏照例總是大賭，一開了頭似乎就賭興日益濃厚，接連一個月賭下來，輸得昏天黑地。一直到二三月裏，他們也還是常常有豪賭的場面。有一天家裏來了客，在憶妃這邊打牌，景藩因爲前一天晚上推牌九熬了夜，要想補一個中覺，嫌這邊屋裏吵嚷得太厲害，便說到五太太那邊去睡去。五太太正坐在桌上打牌，陶媽也在旁邊伺候着，五太太便別過頭來和她說了一聲，叫她跟了去給他把窗簾放下來。陶媽先是說：『小艾在那兒呢。』後來也就去了。還沒走到五太太房門口，却看見小艾從裏面直奔出來，剛巧正撞到她身上，彷彿很窘似的，也沒顧到和她說什麼，就這麼跑了。陶媽見這情形，也就明白了幾分，當時就沒有敢進去，恐怕老爺正在那裏生氣，不犯著去碰在他氣頭上。

她心裏忖度着，便向後面走去，劉媽在後面小院子裏洗衣裳，陶媽忍不住就把剛才那樁事情說給她聽，不過被陶媽一說，就好像小艾是因爲聽見她來了，所以跑了。劉媽怔了一會兒，便道：『噯呀，這兩天小艾怎麼吃了東西就要吐，不要是害喜吧？……我們這個老爺倒也說不定。』兩人只是私下裏議論着，陶媽和憶妃那邊的傭人向來是一句話也不多說的，但是劉媽恐怕比較嘴敞，這句話也不知怎麼，很快的就傳到那邊去了，那邊自然有人獻殷勤，去告訴了憶妃。

二十一

五太太那天打牌打了個通宵，所以次日起得很晚，下午正在那裏梳頭，忽然聽見憶妃在那邊高聲罵人，隔着幾間屋子，也聽不仔細，就彷彿聽見一句：『不要臉！自己沒本事，叫個丫頭去引老爺！』陶媽站在五太太背後在那兒替她梳頭，聽見那邊千『不要臉』萬『不要臉』的罵着，曉得是在那裏罵五太太，不由得便有些變貌變色的。五太太不知就裏，還微笑着問：『她在那兒罵什麼？』陶媽輕聲嘆了口氣，便放低了聲音，彎下腰來附耳說道：『我正要告訴太太的，怕你生氣——昨天你在那邊打牌，我看老爺到這邊來睡中覺，我跟進來看看可要把簾子拉起來，哪兒曉得小艾在房裏，老爺跟她拉拉扯扯的，後來她看見我來，就趕緊跑出去了。看這樣子，恐怕已經不止一天了。……這個丫頭，這麼點兒大年紀，哪兒想到她已經這樣壞了！眞是「人小鬼大」！』

五太太聽了，氣得話都說不出來了，只是喃喃的再三重複着：『你給我把她叫來！』陶媽去把小艾叫了來，五太太頭也沒梳好，紫脹着臉，一隻手挽着頭髮，便站起身來，迎面沒頭沒臉的打上去，道：『不要臉的東西，把你帶到南京來，你給我丟人！到底是怎麼回事，你說！說！你不說出來我打死你！』她只恨兩隻胳膊氣得瘦軟了，打得不夠重，從床前拾起一隻紅皮底的綉花鞋，把那鞋底噼噼啪啪的在小艾臉上抽着。小艾雖是左右閃躲着，把手臂橫擋在臉上，眼梢和嘴角已經涔涔的流下血來，但是立刻被淚水冲化了，她的眼淚像泉水一樣的湧出來，她自從到他們家來，從小時候到現在，所有受的寃屈一時都湧上心來，一口氣堵住了咽喉，雖然也叫喊着爲自己分辯，却抽噎得一個字也聽不出。

五太太在這裏拷問小艾，那邊憶妃也在那裏向景藩質問，景藩却是一口就承認了。憶妃跟他鬧，他只是微笑著說：『誰當眞要她。你何必這樣認眞。』又瞅著她笑了笑，道：『誰叫你那天也不在家。』他儘管是這種口吻，憶妃終究放心不下，尤其因爲根據報告，小艾恐怕已經有了身孕，憶妃自己這些年來一直盼望着有個孩子，但是始終就沒有，倘然小艾倒眞生下個孩子，那是名正言順的竟要册立爲姨太太了，勢必要影響到自己的地位。她因此十分動怒，只管釘著他和他吵鬧，要他馬上把那丫頭給打發了。景藩後來不耐煩起來，戴上帽子就出去了。

二十二

五太太也正是爲這樁事情有些委決不下，因爲盤問小艾，知道她有喜了，無論如何，總是老爺的一點骨血，五太太甚至於想着，自己一直想要一個小孩子，只是不能如願，他前妻生的一兒一女是和她沒有什麼感情的，這一個小孩子要是一生下來就由她撫養，總該兩樣些吧？但是這孩子生下來以後，却把小艾怎樣處置呢？要是留下她，那是越發應了人家說的那話，說這件事全是我的主謀，誠心的叫自己的丫頭去籠絡老爺。要是把她打發了呢，倒又不知道老爺到底是一個什麼態度。五太太心裏斟酌着，不免左右爲難起來，剛才拿着打小艾的一隻花鞋也扔在地下了，退後兩步坐在梳妝台前面的一隻方櫈上。小艾背着身子斜靠了桌子角站着，抬起一隻手臂把臉枕在臂彎裏，只是痛哭。五太太坐在那裏發一會楞，又指着她罵個一兩聲，但是火氣似乎下去了些了，陶媽便在旁邊解勸着，正要替她挽起頭髮來繼續梳頭，忽見憶妃氣呼呼的一陣風似的走了進來，不覺怔了一怔。

憶妃一言不發的走進來，一把揪住小艾的頭髮，也並不毆打，只是提起腳來，狠命向她肚子上踢去，腳上穿的又是皮鞋。陶媽看這樣子，簡直要出人命，却也不便向前拉勸，只是心中十分不平，丫頭無論犯了什麼法，總是五太太的丫頭，有什麼不好，也該告訴五太太，由五太太去責罰她。哪有這樣的道理，就這麼闖到太太房裏來，當着太太的面打她的丫頭，也太目中無人了。五太太也覺得實在有點面子上下不來，坐在那裏氣得手足冰冷。這時小艾却已經一掙掙脫了，跳到一張椅子背後躲着，憶妃搶上前去，小艾便把那張椅子高高的舉起來，迎頭劈下去。陶媽不覺吃了一驚，也來不及喝阻，心裏想這孩子不知輕重，這是以下犯上，簡直造反了，忙從後面奔上去，緊緊掣住她兩隻胳膊，憶妃本來有兩個女僕跟了來，在房門觀望着，至此便一擁而上，奪下那張椅子。憶妃又驚又氣，趁這機會便用盡平生之力，向小艾一腳踢去，衆人不由得一聲『噯喲！』齊聲叫了出來，看小艾時，已經面色慘白，身上直挫下去，倒在地下。大家一陣亂鬨鬨的，把她半拖半抬的弄了出去。憶妃心裏雖然也有些害怕，嘴裏也還是罵罵咧咧的，自有她的傭人把她勸回房中。

一剎那間人都走光了，只剩五太太一個人呆呆的坐在梳妝台前的方櫈上。經過剛才的一場大鬧，屋子裏亂得很，也不知道什麼時候桌上的一隻茶杯給帶翻了，滾到地下去，蜿蜒一線的茶汁慢慢的流過來，五太太眼看着它像一條小蛇似的亮晶晶的在地板上爬着，向她的腳邊爬過來，她的腳也不知怎麼，依舊一動也不動。

隔了有一會工夫，陶媽方才走了進來，悄悄的說道：『太太，她肚子疼得在那兒打滾，血流得不止，一定要小產了。』五太太便道：『讓她死了就死了！我也管不了她！我都給她氣死了！』陶媽拿起梳子來又來替她梳頭，五太太忽然一轉念，又吩咐陶媽道：『去告訴老爺去。』陶媽哼了一聲，冷笑道：『老爺！剛才那邊跟他鬧了一場，他就出去了。』五太太不言語了。

二十三

憶妃和五太太之間，雖然並沒有怎樣正面衝突過，也已經鬧得很僵了。五太太當晚就沒有出來吃飯。這時候小艾已經小產了，陶媽告訴五太太，還是一個男孩子，五太太聽了，不由得有一種莫名其妙的惋惜的感覺。憶妃聽見這話，却覺得僥倖，幸而被她打掉了。但是留着小艾總是個禍根，因此急於要把她隨便給個人。陶媽聽見這話，便又來告訴五太太，五太太只是喃喃的說：『讓她嫁掉了算了！——給她氣死了！』陶媽却極力的攛掇五太太，叫她無論如何要賭這口氣，倒偏要把小艾留着，不要讓憶妃趁了願。但是結果也並不是出於五太太的力量，却是因爲大家都不敢兜攬這件事，家裏這些女傭誰也不敢替小艾做媒，男傭也不敢要她，因爲怕得罪了老爺。憶妃後來急了，要叫人販子來賣了她。向來他們這種大宅門裏，只有買人，沒有賣人之說，憶妃固然是不管這些，但是小艾自從小產以後便得了病，一直也不退燒，一拖幾個月，把人拖得不像樣子，所以說是要賣她，也沒有成爲事實。

小艾的病，五太太說她是自作自受，也並沒有給她醫治。五太太對小艾實在是有一點恨，因爲她心裏總覺得，要不是出了這樁事情，大家都過得和和氣氣的。現在給這樣一來，竟把自己委曲求全的一番苦心全都付之東流。

現在倒成了個僵局，五太太和憶妃一直也沒見面，憶妃也把景藩管得很緊，不許他上這邊來。五太太總是在自己房裏吃飯，他們這裏的廚子本來也是憶妃用進來的，給五太太這邊預備的飯菜一天比一天壞。同時陶媽也天天向五太太訴苦，說那些別的傭人怎樣欺負她。陶媽在上海那時候一向是『自在爲王』慣了的，哪裏受得了這個氣，就極力的勸五太太回上海去。在五太太的意思，却認爲她跟着老爺過活，是名正言順的，眼前雖然鬧了這個彆扭，還能老這樣下去麼？總有熬出頭的一天。而且老爺拿了她的首飾，答應過她將來一有了錢就買了還她。倘若在他跟前守着呢，也說不定還有點希望，雖然她心裏明白，這希望也很渺茫。她要是走了呢，那就簡直沒有了。但是五太太這一點苦衷却無法對陶媽說，因爲那首飾的事情她根本就沒有告訴陶媽，怕陶媽要埋怨她。

二十四

又一次陶媽又非常生氣，她因爲吃素，一向總給自己預備一兩樣素菜，不知道什麼人有意和她過不去，給她在素菜裏攙上幾根肉絲，害得她整個的一碗菜都不能吃。陶媽跑來向五太太訴說，鬧着要辭工回上海去。五太太被她一鬧，也就認眞的考慮着要回去了。恰巧上海有一封信來，說老太太病了，五太太要是回去侍疾，倒也是應當的。她便叫陶媽去通知老爺。她不願意跌這個架子去請他過來，但是他倒自動的來了，說了幾句很冠冕的話，贊成她回去。於是五太太在這以後不久就離開了南京，小艾的病還沒有好，但是也把她帶着一同回去了。

回上海之前，五太太雖然囑咐過陶媽劉媽，不要把小艾的事情說出去，但是這種事情，到底也沒法禁止人說，漸漸鬧得上上下下都知道了。在那些女傭們看來，無非是覺得這丫頭不規矩，不免對她更是冷淡一些。家裏幾位奶奶太太們却另有一種好奇心，都說『年紀這樣小就這樣作怪，這五老爺也眞是——怎麼會看中她的！』因此都用一種特殊的眼光去看她。特別注意的結果，果然覺得她外表上雖然不聲不響的，骨子裏有一種妖氣，這是逃不過她們的眼睛的，於是大家都留了神，凡是老爺少爺們都絕對不讓她有機會接近。

當着五太太的面，當然誰也不去提起這樁事情，因爲五太太對於這回事始終保持緘默，而且忌諱得非常厲害，別人談話中只要偶爾提起一聲小艾，五太太立刻臉色陰沈下來，一聲也不言語，使人覺得好像吃饅頭忽然吃到一塊沒發起來的死麵疙瘩。

小艾的病一直老不見好，也不能老是躺在床上，後來也就撐着起來做事了。五太太其實從前也並不喜歡她，不過總是一天到晚『小艾！小艾！』的掛在口邊叫着，現在好像這名字叫不響亮了，輕易也不肯出口。她恨她。尤其因爲時間一天天的過去，五太太在南京的一段生活在她的記憶中漸漸的和事實有些出入了，她只想着景藩對她也還不錯，他虧待她的地方却都忘懷了，因此她越發覺得怨恨，要不是因爲小艾，也不至於產生這樣一個隔膜，他們的感情不好，她除了怪她娘家，怪她婆家的人，現在又怪上了小艾。然而五太太的性格就是這樣，雖然這樣恨着小艾，也並不採取任何步驟或是遣開她或是把她怎麼樣，依舊讓她在身邊伺候着。

那一年交了冬之後，因爲老太太病重，景藩也從南京回來過兩次。五太太聽見說他這一向常常到上海來，但是過門不入，沒有到家裏來。現在又和上海的一個紅妓女打得火熱，要娶她回去。憶妃已經失寵了，她大概是什麼潛伏著的毛病突然發作起來，在短短的幾個月內把頭髮全掉光了。景藩馬上就不要她了。他本來在南京做官，自從迷上了現在這一個，就想法子調到上海來，却把憶妃丟在南京。

二十五

第二年老太太去世了，憶妃便到上海來奔喪，藉着這名目來找五老爺。她來到老公館裏，剛巧景藩那天沒有來，後來景藩聽見說她來了，索性連做七開弔都不到場了。憶妃便到裏面去見五太太，五太太倒是不念舊惡，仍舊很客氣的接待她。憶妃渾身縞素，依舊打扮得十分俏麗，只是她那波浪紋的燙髮顯然是假髮，像一頂帽子似的罩在頭上，眉毛一根也沒有了，光光溜溜的皮膚上用鉛筆畫出來亮瑩瑩的兩道眉毛，看上去也有點異樣。但是她的魔力似乎並沒有完全喪失，因爲她跟五太太一見面，一訴苦，五太太便對她十分同情，留她住在自己房裏，兩人抵足長談，憶妃把她的身世說給五太太聽，說到傷心的地方，五太太也陪着她掉眼淚。妯娌們和小輩有時候到五太太房裏去，看見五太太不但和她有說有笑的，還彷彿有點恭維着她，趕着替她遞遞拿拿的做點零碎事情，而憶妃却是安之若素。家裏的人刻薄些的便說，倒好像她是太太，五太太是姨太太。五太太大概也覺得自己這種態度需要一點解釋，背後也對人說：『她現在是失勢的人了，我犯不着也去欺負她。從前那些事也不怪她，是五老爺不好。』

小艾不見得也像五太太這樣不記仇。五太太却也覺得小艾是有理由恨憶妃的，因此憶妃住在這裏的時候，五太太一直不大叫她在跟前伺候，一半也是因爲怕事，怕萬一惹出什麼事來。

憶妃在上海一住住了好幾個月，始終也沒有見到景藩，最後只好很失意的回去了。陶媽劉媽對於這樁事情都覺得非常快心，說：『報應也眞快！』小艾卻並不以此爲滿足。一個憶妃，一個景藩，她是恨透了他們，但是不光是他們兩個人，根本在這世界上誰也不拿她當個人看待。她的寃仇有海樣深，簡直不知道要怎樣才算報了仇。然而心裏也常是這樣想着：『總有一天我要給他們看看。我不見得在他們家待一輩子。我不見得窮一輩子。』

二十六

席家在老太太死了以後就分了家。五房裏一點也沒拿到什麼，因爲景藩歷年在公賬上挪用的錢已經超過了他應得的部分。五太太從老宅裏搬了出來，便住了個一樓一底的小房子，帶着前頭太太生的一個寅少爺一同過活，每月由寅少爺到景藩那裏去領一點生活費回來，過得相當拮据。五太太却是很看得開，她住的一間屋子收拾得乾乾淨淨的，擺着幾件白漆家具，一張白漆小書桌上經常有幾件小玩意兒陳列在那裏，什麼小泥人，顯微鏡，各種花哩胡哨的捲鉛筆刀，火車式的，汽車式的。她最愛買這些東西，又愛給人，人家看見了只要隨便讚一聲好，她就一定要送給他，笑着向人手裏亂塞，說：『你拿去拿去！』她實在心裏很高興，居然她有什麼東西爲人們所喜愛。她仍舊養着好些貓，貓餵得非常好，一個個肥頭胖耳的，美麗的貓臉上帶着一種驕傲而冷淡的神氣忍受着她的愛撫。

她也仍舊常常打麻將。她在親戚間本來很有個人緣，雖然現在窮下來了，而人都是勢利的，但是大家都覺得她不討厭。她頭髮已經剪短了，滿面春風的，戴着金腳無邊眼鏡，穿着銀灰縐綢旗袍，雖然胖得厲害，看上去非常大方。常有人說『不懂五老爺爲什麼不跟她好。』

景藩有時候說起她來，總是微笑着說『我那位胖太太』，或是『胖子』。他現在的境況也很壞，本來在上海做海關監督，因爲虧空過鉅，各方面的關係又沒有敷衍得好，結果事情又丟了。漸漸的到了山窮水盡的地步。他現在的一個姨太太叫做秋老四，他一向喜歡年紀大一點的女人，這秋老四或者年紀又太大了一點，但是她是一個名人的下堂妾，手頭的積蓄很豐富，景藩自己也承認他們在銀錢方面是兩不來去的，實際上還是他靠着她。所以他們依舊是洋房汽車，維持着很闊綽的場面。大概每隔幾個月，遇到什麼冥壽忌辰祭祀的日子，景藩便坐着汽車到五太太那裏去一次，略微坐個幾分鐘，便又走了。

寅少爺若是在家，就是寅少爺出來見他，五太太就不下樓來了。難得有時候五太太下來和他相見，雖然大家都已經老了，五太太也不知爲什麼，在他面前總是那樣踧踖不安，把脖子僵僵着，垂着眼皮望着地下，窘得說不出話來，時而似咳嗽非咳嗽的在鼻管和喉嚨之間輕輕的『唷！』一聲，接著又『唷唷』兩聲。

每回景藩來的時候，小艾當然是避開了。好像他也不是常來。小艾的病雖然已經好了，臉色一直有點黃黃的，但是倒比小時候更秀麗了。她的年齡是連她自己也不知道的，假定當初到南京去那時候是十四五歲，這時候總也有二十三四了。一直也沒有誰提起她的婚姻的事情。五太太是早已聲言『不管她的事了。』不過這句話的意思，當然也並不是就可以容許她自由行動。

二十七

陶媽有一個兒子名叫有根，一向在蕪湖一爿醬園裏做事，因爲和人口角，賭氣把事情辭了，到上海來找事。陶媽的丈夫死得早，就這樣一個兒子，自然是非常鍾愛。他到了上海，便住在五太太這裏，在樓下客廳搭上一張行軍床，睡在那裏，白天有時候就在廚房裏坐着，吃飯也是在廚房裏大家一桌吃。他和小艾屢次同桌吃飯，也並沒有交談過。有一天下雨，有根冒雨出去奔走着，下午回到家裏來，陶媽炒了碗飯給他吃。他們那扇後門上面空着一截，鑲着一截子暗紅漆的矮欄杆，她便把他那把橙黃色的破油紙傘撐開來插在欄杆上晾着。有根坐在那裏吃飯，她坐在一旁和他說着話，問他今天出去找事的經過。忽然小艾捧着個貓灰盆子走了來，要出去倒在外面的垃圾箱裏，有根馬上放下了飯碗，搶着上前去把那把傘拿了下來，讓她好走出去。他這種神氣陶媽却是有點看不慣。她本來早就覺得了，他對小艾是很注意。陶媽也是因爲小艾過去有那段歷史，總認爲她不是一個安分的人，因此總防着她，好像惟恐自己的兒子會被她誘惑了去。他們母子二人的心事，小艾也有點覺得了，所以有根在那兒的時候，她總是躲着他。

有一天她一個人在廚房裏洗抹布，有根忽然悄悄的走了來，把兩個小紙包遞給她，囁嚅着笑道：『我買了雙襪子……還有一瓶雪花膏，送給你搽。』小艾忙道：『不要，你幹嗎那麼客氣。』她一定不肯接，有根便擱在桌上，笑道：『你不要見笑，東西不好。』小艾把兩隻手在圍裙上一陣亂揩，便把紙包拿起來硬要還給他，道：『不不，我眞不要，你留着送別人。』有根笑道：『你就拿着吧，你不拿就是嫌不好。』一面說着，已經一溜煙從後門跑了。

小艾拿着那兩樣東西，倒沒有了主意，想拆開來看看，躊躇了一會，也沒有拆開，依舊擱在桌上，希望他自己看見了會收回去。她草草洗完了抹布，自上樓去了。不料有根這一天直到吃晚飯的時候方才回來，劉媽在桌上擺碗筷，看見那紙包，隨手打開來一看，却是一雙肉色長統女式線襪，便道：『咦，這是誰的襪子？』陶媽也覺得詫異。小艾在旁邊就沒有作聲，有根也沒說什麼，臉色却很難看，隔了一會，方才說了聲：『是我買的。』拿過來便向衣袋裏一塞。陶媽狠狠的向他瞅了一眼，當時也沒有說什麼。

二十八

那天晚上，五太太有一隻貓不知跑了哪兒去了沒有回來，叫小艾出去找去。她走下樓來，看見客廳裏點着燈，房門半掩着，大概陶媽已經給有根鋪好了床，坐在床上跟他說話，只聽見她一個人的聲音，有根似乎一直不開口。陶媽雖然把喉嚨放得低低的，顯然是帶着滿腔怒氣，漸漸的聲音越說越高，道：『你趁早死了這條心吧！你當她是個什麼好東西！我娶媳婦要娶個好的！』小艾也沒有再聽下去。其實她一點也不是屬意於有根，但是這幾句話實在刺心。她走到廚堂裏，把後門開了，走到衖堂裏去，但是並沒有馬上開口喚貓，因爲怕自己一張開口來，聲音一定顫抖得厲害，聽上去很奇異。因此只是悄悄的在暗影中走着。

她出來的時候是把後門虛掩着的，後來那扇門被風吹着一開一關，訇訇的響，却被有根聽見了，他本來已經睡了，陶媽也已經上樓去了，他心裏想着：『這是誰忘了關門，萬一放了個賊進來，剛巧這兩天我住在這裏，丟了東西不要疑心我嗎。』便又披衣起床，到後面去把門關了。

等到小艾把貓找了回來，推門推不開，只得在門上拍了幾下。又是有根來開門，他却沒有想到是小艾。她穿着一件藍白蘆蓆花紋的土布棉襖，臉上凍得紅噴噴的，像搽了胭脂一樣，燈光照着，把她那長睫毛的影子一絲絲的映在面頰上，有根不由得看呆了。她一看見有根，却是馬上就想起陶媽剛才說的那話，心中實在氣忿不平，忽然想小小的報復一下，便含着微笑溜了他一眼，道：『還沒睡呀？不冷哪？』有根越發呆住了，一時也想不出什麼話來說，小艾倒已經抱着貓走了。

小艾後來想想，倒又覺得懊悔，不該去招惹他。有根已經找到了事情，是陶媽託人把他薦進去的，在法大馬路一爿南貨店裏，離這裏很遠，他搬出去以後，却差不多天天晚上總要來一趟，乘電車只有很短的一截可乘，所以要走非常長的一段路，陶媽又是心疼，又是生氣，却也無法可施。他來了也不過在廚房裏坐一會，有時候並也見不到小艾。後來他忽然絕跡不來了，小艾還以爲她對他的態度太冷淡的緣故。隔了有一兩個月的光景，有一天忽然又來了，却已經把頭髮養長了，梳得光溜溜的，大概前一向他因爲頭髮剛剛養長，長到一個時期就矗立在頭上，很不雅觀，所以沒有來。

日子一久，小艾心裏也就有點活動起來了。因爲除了嫁人以外也沒有別的方法可以離開席家。從前三太太有一個丫頭，就是和她同時買來的，比她大幾歲，很機靈的那個，名叫連喜，後來逃走了，小艾那時候還小，但是對於這樁事情印象非常深。後來却又聽見說，有人碰見連喜，已經做了沿街拉客的妓女，她是遇見了壞人，對她說介紹到工廠裏去做工，把她騙了去賣掉了。小艾聽到這話，心裏非常難受，對於這吃人的社會却是多了一層認識。

二十九

她因此打消了逃走的念頭，這許多年來一直在這裏苦熬着。現在這有根倒是對她很好，別的不說，第一他是一個知道底細的人，總比較可靠。但是小艾對於他總覺得有點不能決定。倒並不是爲了她對他沒有感情的問題。她因爲從來沒有愛過任何人，根本不知道愛情是什麼，所以也不知道重視它。她最認爲不妥的，還是他是陶媽的兒子這一層。即使陶媽肯要她做媳婦，她也還不願意要陶媽這樣一個婆婆——難道受陶媽的氣還沒有受夠。同時她也覺得有根這人不像是一個有作爲的人。怎樣才是一個有志氣有作爲的人，她也說不出來，然而總有這樣一個模糊的意念，在這種社會裏，一個人要想揚眉吐氣，大概非發財不行吧。至於怎樣就能夠發財，她却又是很天眞的想法，以爲只要勤勤懇懇的，好好的做人就行了。

他們住的這衖堂，是在一個舊家的花園裏蓋起幾排市房，從前那座老洋房也還存留在那裏，不過也已經分租出去了，裏面住了不知道多少人家，樓下還開着一爿照相館。那幢大房子也就像席家從前住的那種老式洋樓一樣，屋頂上矗立着方形的一座座紅磚砌的煙囪，還豎着定風針。常常有一個人坐着那屋頂上讀書。小艾在夏天的傍晚到晒台上去收衣裳，總看見對門的屋頂上有那麼一個青年坐在那裏看書，夕陽在那紅磚和紅瓦上，在那樓房的屋脊背後便是滿天的紅霞，小艾遠遠的望過去，不由得有些神往，對於那個人也就生出種種幻想。對門那屋頂上搭着個鉛皮頂的小棚屋，這人大概就住在那裏，那裏面自然光線很壞，所以他總坐到外面來看書。看他穿着一身短打，也不像一個學生，怎樣倒這樣用功呢？

三十

夏天天黑得晚，有一天晚飯後，天色還很明亮，小艾在窗口向對過望去，那人已經不在那裏了，屋頂上斜架着一根竹竿，晾着一件藍布褂子，在那暮色蒼茫中，倒像是一個人張開兩臂欹斜地站在那裏。她正向那邊看着，忽然聽見底下衖堂裏鬧哄哄的一陣騷動，向下面一看，來了兩部汽車；就在他們門口停下了，下來好幾個穿制服帶槍的人，小艾倒怔住了，正要去告訴五太太，那些法警已經蜂擁上樓，原來是因爲景藩在外頭借的債積欠不還，被人家告了，所以來查封他們的財產，把家裏的箱籠橱櫃全都貼上了封條，一方面出了拘票來捉人。其實景藩這時候已經遠走高飛，避到北邊去了，起初五太太這邊還不知道。五太太出去替他奔走設法，到處求人幫忙，但是親戚間當然誰也不肯拿出錢來，都說：『他們這是個無底洞。』寅少爺雖然也着急，却很不願意他後母參預這些事情，因爲她急得見人就磕頭，徒然丟臉，一點用處也沒有。

五太太自從受過這番打擊，性格上似乎有了很顯著的改變，不那麼嘻嘻哈哈的了，面色總是十分陰沈，在應酬場中便也不像從前那樣受歡迎了。有時候人家拉她打牌，說替她解悶，她的牌品本來很好的，現在也變壞了，一上來就怕輸，一輸就着急，一急起來便將身體左右搖擺着，搖擺個不停。和她同桌打牌的人都說：『我只要一看見她搖起來我就心裏發煩。』因此人家都怕跟她打，她常常去算命，可是又害怕，怕他算出什麼凶險的事來，因此總叫他什麼都不要說，『只問問財氣。』

五太太不久就得了病。有一次她那心臟病發得很厲害，家裏把她娘家的兄嫂也請了來，他們給請了個醫生，大家忙亂了一晚上，家裏的一隻貓出去了一晚上也沒有回來，大家也沒有注意。

三十一

五太太這一向因爲節省開支，把所有的貓都送掉了，只剩下這一隻黑尾巴的『雪裏拖槍』，是她最心愛的。第二天五太太病勢緩和了些，便問起那隻貓，陶媽樓上找到樓下，也沒找到，只得騙她說：『剛才還在這兒，一會兒倒又跑出去了。』一面就趕緊叫小艾出去找去。小艾走到衖堂裏，拿着個拌貓飯的洋磁盤子鏜鏜敲着，『咪咪！咪咪！』的高叫着，同時嘴裏嘖嘖有聲，她是常常這樣做的，但是今天不知怎麼，總覺得這種行爲實在太可笑了，自己覺得非常不自然，彷彿怕給什麼人看見他。

在衖堂裏前前後後都走遍了，也沒有那貓的影子。回到家裏來，才掩上後門，忽然有人揿鈴，一開門，却吃了一驚，原來就是對過屋頂上常常看見的那俊秀的青年，他抱着個貓問道：『這貓是不是你們的？』越是怕他聽見，倒剛巧給他聽見了。小艾紅着臉接過貓來，覺得應當道一聲謝，却一個字也說不出來。那青年便又解釋道：『給他們捉住關起來了——我們家裏老鼠太多，他們也眞是，也不管是誰家的，說是要把這貓借來幾天讓牠捉捉老鼠。』小艾便笑道：『哦，你們家老鼠多？過天我們有了小貓，送你們一隻好吧？』那青年先笑着說『好』，略頓了一頓，又說了聲：『我就住在八號裏。我叫馮金槐。』說着，又向她點了點頭，便匆匆的走開了。

小艾抱着貓關上了門，便倚在門上，低下頭來把臉偎在貓身上一陣子揉擦，忽然覺得牠非常可愛。她上樓去把貓送到五太太房裏。五太太房裏有一個日曆，今天這一張是紅字，原來是星期日，他今天大概是放假吧，要不然這時候怎麼會在家裏。那天天氣非常好，小艾便一直有點心神不定，老是往對過屋頂上看着，那馮金槐却一直沒有出來。也許出去了，難得放一天假，還不出去走走。

三十二

陶媽做菜的時候發現醬油快完了，那天午飯後便叫小艾去打醬油，生油也要買了。小艾先把藍布圍裙解了下來，方才拿了油瓶走出去。他們隔壁有一家鞋店，遇到這天氣好的時候，便把兩張作枱搬到後門外面來擺着，幾個店員圍着桌子坐着，在那裏黏貼綉花鞋面，就在那藍天和白雲底下，空氣又好，光線又好，桌上攤滿了各色鞋面，玫瑰紫的，墨綠的，玄色、藍色的，平金繡花，十分鮮艷。小艾每次走過的時候總要多看兩眼，今天却沒有怎樣注意，心裏總覺得有些惴惴不安，不知道爲什麼很怕碰見那馮金槐。

從衖堂裏走出去，一路上也沒有碰見什麼人。回來的時候，却老遠的就看見那馮金槐穿着一件破舊的短袖汗衫，拿着個洋磁盆在自來水龍頭那裏洗衣裳。他一定也覺得他這是『男做女工』，有點難爲情似的，微笑着向她點了個頭。小艾也點點頭笑了笑，偏趕着這時候，她的頭髮給風吹的，有一綹子直披到臉上來，她兩隻手又都佔着，拿着一瓶油，一瓶醬油，只得低下頭來，偏着臉一直湊上去，把頭髮扶到耳後去。同時自己就又覺得，這一個動作似乎近於一種羞答答的樣子，見了人總是這樣不大方，因此便又紅着臉笑道：『今天放假呀？』然而也就說了這麼一句，因爲看見鞋店裏那些夥計坐在那邊貼鞋面，有兩個人向他們這邊望過來，彷彿對他們很注意似的。她也沒有等他回答，便在他身邊走了過去，走回家去了。

以後她注意到，每星期日他總拿着一捲衣服，到那公用的自來水龍頭那裏去洗衣裳。想必他家裏總是沒有什麼人，所以東西全得自己洗。

三十三

平常在衖堂裏有時候也碰見，不過星期日這一天是大概一定可以碰見一次的。見面的次數多了偶爾也說說話。他說他是在一個印刷所裏做排字工作的。他是一個人在上海。

五太太房裏的日曆一向是歸小艾撕的，從此以後，這日曆就有點靠不住起來，往往一到了星期六，日曆上已經赫然是星期日了，而到了星期一，也仍舊一張紅字的星期日，星期二也仍舊是星期日，或許是因爲過了這一天以後，在潛意識裏彷彿有點懶得去撕它，所以很容易忘記做這樁事情。五太太是反正在生病，病中光陰，本來就過得糊裏糊塗的，所以也不會注意到這些。

五太太那隻貓懷着小貓，後來沒有多少時候就養下來了，一窠有五隻，五太太一隻也不預備留着，打算誰要就給誰。小艾便想着，等看見金槐的時候要告訴他一聲，但是這一向倒剛巧沒有機會見到他，已經有好兩個星期沒有看見他出來洗衣服了。近來天氣漸漸冷了，大約因爲這緣故，一直也沒看見他在屋頂上看書。有一天她又朝那邊望着，心裏想不會是病了吧。那屋頂上斜搭着一根竹竿，晾着幾件衫褲，裏面却有一件女人的衣服，一件紫紅色魚鱗花紋的布旗袍。她忽然想起來，前些時有一次看見兩輛黃包車拉到八號門口，黃包車上堆着紅紅綠綠的棉被和衣服，是人家辦喜事『鋪嫁妝』，八號那一座房子裏面住了那麼許多人家，也不知道是哪一家娶新娘子。當時也沒有在意，後來新娘子是什麼時候進門的，也沒有看見。

三十四

其實也很可能就是金槐結婚。除非他已經有了女人了，在鄉下沒有出來。兩樣都是可能的。

她這時候想着，倒越想越像——也說不定就是他結婚。怪不得他這一向老沒有出來洗衣裳，一定是有人替他洗了。

小艾自己想想，她實在是沒有理由這樣難過，也沒有這權利，但是越是這樣，心裏倒越是覺得難過。

小貓生下來已經有一個多月，要送掉也可以送了。小艾便想着，藉着這機會倒可以到金槐那裏去一趟，把這貓給他們送去，順便看看他家裏到底是個什麼情形。她趁着有一天，是一個陰曆的初一，陶媽劉媽都到廟裏燒香去了，五太太在床上也睡着了，她便去換上一件乾淨的月白竹布旗袍，拿一條冷毛巾忽忽的擦了把臉，把牙粉倒了些在手心裏，往臉上一抹，把一張臉抹得雪白的，越發襯托出她那漆黑的眼珠子，黑油油的齊肩的長髮。她悄悄的把貓抱着，下樓開了後門溜了出去，便走到對過那座老房子裏，走上台階，那裏面却是一進門就黑洞洞的，有點千門萬戶的模樣。她略微躊躇了一下，便逕自走上樓梯，樓梯口有一個女人抱着孩子嗚嗚作聲的哄着拍着在那裏踱來踱去，看見了小艾，便只管拿眼睛打量着她。小艾便笑道：『對不起，有個馮金槐是不是住在這裏？』那女人想了一想道：『馮金槐——是呀，他本來住在上頭的，現在搬走了呀。』小艾不覺怔了怔，道：『哦，搬走啦？』那女人見她還站在那裏，彷彿在那裏發呆，便問道：『你可是他的親戚？』小艾忙笑道：『不是，我是對過的，因爲上回聽見他說他們這兒老鼠多，想要一隻貓，我答應他我們那兒有小貓送他一隻的。』說着，便把那小貓舉了一舉給她看看。那女人說道：『他搬了已經一個多月了，本來他跟他表弟住在一間房裏的，現在他表弟討了娘子了，所以他搬走了。』

三十五

小艾哦了一聲，又向她點了個頭，便轉身下樓，手裏抱着那隻小貓，另一隻手握着牠兩隻前爪，免得牠抓人，便這樣一直走出去，下了台階。太陽曬在身上很暖和，心裏也非常鬆快，但同時又覺得惘然。雖然並不是他結婚，但是他已經搬走了。她又好像得到了一點什麼，又好像失去了什麼，心裏只是說不出來的悵惘。

又過了些日子。有一天黃昏的時候，小艾在後門外面生煤球爐子，彎着腰拿着把扇子極力的搧着，在那寒冷的空氣裏，那白煙滾滾的往橫裏直飄過去。她只管彎着腰搧爐子，忽然聽見有人給煙嗆得咳嗽，無意之中抬起頭來看了看，却是金槐。他已經繞到上風去站着了。他覺得他剛才倒好像是有心咳那麼一聲嗽來引起她的注意，未免有點可笑，因此倒又有點窘，雖然向她點頭微笑着，那笑容却不大自然。小艾却是由衷的笑了起來，道：『咦？……我後來給你送小貓去的，說你搬走了。』金槐喲了一聲，彷彿很抱歉似的，只是笑着，隔了一會方道：『叫你白跑一趟。我搬走已經好幾個月了。我本來住在這兒是住在親戚家裏。』小艾便道：『你今天來看他們啦？』金槐道：『噯。今天剛巧走過。』說到這裏，他也想不出還有什麼話可說，因此兩人都默然起來，小艾低着頭只管扳弄着那把搧爐子的破蒲扇。半晌，她覺得像這樣面對面的站在後門口，又一句話也不說，實在不大妥當，不要給人看見了。因見那煤球爐子已經生好了，便俯身端起來，向金槐笑了笑，自把爐子送了進去。

三十六

她在爐子上擱上一壺水，忍不住又走到後門口去看看，心裏想他一定已經到他親戚家裏去了。但是他並沒有進去，依舊站在對過的牆根下，點起一支香煙在那裏吸着。小艾把兩手抄在圍裙底下，便也慢慢的向那邊走了過去。她並沒有發問，他倒先迎上來帶笑解釋着，道：『我想想天太晚了，不上他們那兒去了。』他頓了頓，又道：『因爲正是吃晚飯的時候，回頭他們又要留我吃晚飯，倒害人家費事。』小艾也微笑着點了點頭，應了一聲，隨即問道：『你是不是從印刷所來？你們幾點鐘下工？』金槐說他們六點鐘下工，又告訴她印刷所的地址，說他現在搬的地方倒是離那兒比較近，來回方便得多。兩人一面閒談着，在不知不覺間便向衖口走去。也可以說是並排走着，中間却隔得相當遠。小艾把手別到背後去把圍裙的帶子解開了，彷彿要把圍裙解下來，然而帶子解開來又繫上了，只是把它束一束緊。

走出衖口，便站在街沿上。金槐默然了一會，忽然說道：『我來過好幾次了，都沒看見你。』小艾聽他這樣說，彷彿他搬走以後，曾經屢次的回到這裏來，都是爲了她，因爲希望能夠再碰見她，可見他也是一直惦記着她的。她這樣想着，心裏這一份愉快簡直不能用言語形容，再也抑制不住那臉上一層層泛起的笑意，只是偏過頭去望着那邊。金槐又道：『你大概不大出來吧？夏天那時候倒常常碰見你。』小艾却不便告訴他，那時便是因爲她一看見他出來了，就想法子藉個緣故也跑出來，自然是常常碰見了。她再也忍不住，不由得噗哧一笑。

三十七

金槐想問她爲什麼笑，也沒好問，也不知道自己說錯了什麼話，只管紅着臉向她望着。小艾也有點不好意思起來，便一扭身靠在一隻郵筒上，望着那街燈下幢幢往來的車輛。金槐站在她身後，也向馬路上望着。小艾回過頭來向他笑道：『你眞用功，我常常看見你在那兒看書。』金槐笑道：『你在哪兒看見我，我怎麼沒看見你？』小艾道：『你不是常常坐在那房頂上的嗎？』金槐笑道：『我因爲程度實在太差，所以只好自己看看書補習補習。別的排字工人差不多都是中學程度，只有我只在鄉下唸過兩年私塾。』她問他是哪裏人，幾時到上海來的。他說他十四歲的時候到上海來學生意，家裏還有母親和哥哥在鄉下種田。他問她姓什麼，她倒頓住了，她很不願意剛認識就跟人家說那些話，把自己說得那樣可憐，連姓什麼都不知道；因此猶豫了一會，只得隨口說了聲『姓王』。她估計着她已經出來了不少時候，便道：『我得要進去了，恐怕他們要找我了。』金槐也知道她是那家人家的婢女，行動很不自由的，不要害她挨罵，便也說道：『我也要回去了。』這樣說了以後，兩人依舊默默相向，過了一會，小艾又說了聲：『我進去了。』便轉身走進衖堂。

雖然並沒有約着幾時再見面，第二天一到了那時候，小艾就想着他今天下了班不知會不會再來，因此就揀了這時候到廚房裏去劈柴，把後門開着，不時的向外面看看，果然看見他來了。陶媽剛巧也在廚房裏，小艾就沒有和他說話，金槐也就走開了。小艾等劈好了柴，便造了個謊說頭髮上插的一把梳子丟了，恐怕掉了衖堂裏了，便跑出去找。走到衖堂口，金槐還在昨天那地方等着她，便又站在那裏說起話來。

三十八

以後他們常常這樣，隔兩天總要見一次面。後來大家熟了，小艾有一天便笑着說：『你這人眞可笑，從前那時候住在一個衖堂裏，倒不大說話，現在住得這樣遠，倒天天跑了來。』金槐笑道：『那時候倒想跟你說話，看你那樣子，也不知道你願意理我不願意理我。』小艾不由得笑了，心裏想他也跟她是一樣的心理，她也不知道他喜歡她。怎麼都是這樣傻。

金槐又說：『我早就知道你叫小艾了。』小艾却說她最恨這名字，因爲人家叫起這名字來永遠是惡狠狠的沒好氣似的。後來有一次他來，便說：『我另外給你想了個名字，你說能用不能用。』說著，便從口袋裏掏出一枝鉛筆頭和一張小紙片，寫了『王玉珍』三個字，指點着道：『王字你會寫的，玉字不過是王字加一點，珍字這半邊也是個王字，也很容易寫。』小艾拿著那張紙看了半晌，拿在手裏一摺兩，又一摺四，忽然抬起頭來微笑道：『我那天隨口說了聲姓王，其實我姓什麼自己也不知道。』她對於這樁事情總覺得很可恥，所以到這時候才告訴他，她從小就賣到席家，家裏的事情一點也記不起了，只曉得她父母也是種田的。她眞怨她的父母，無論窮到什麼田地，也不該賣了她。六七歲的孩子，就給她生活在一個敵意的環境裏，人人都把她當作一種低級動物看待，無論誰生起氣來，總是拿她當一個出氣筒、受氣包。這種痛苦她一時也說不清，她只是說：『我常常想着，只要能夠像別人一樣，也有個父親有個母親，有一個家，也有親戚朋友，自己覺得自己是一個人，那就無論怎樣吃苦挨餓，窮死了也是甘心的。』說着，不由得眼圈一紅。

三十九

金槐聽着，也沉默了一會，因道：『其實我想也不能怪你的父母，他們一定也是給逼迫得實在沒有辦法。也難怪你，你在他們這種人家長大的，鄉下那種情形你當然是不知道。』他就講給她聽種田的人怎樣被剝削，就連收成好的時候自己都吃不飽，遇到年成不好的時候，交不出租子，拖欠下來，就被人家重利盤剝，逼得無路可走，只好賣兒賣女來抵償。譬如他自己家裏，還算是好的，種的是自己的田，本來有十一畝，也是因爲捐稅太重，負担不起，後來連典帶賣的，只剩下二畝地，現在他母親他哥嫂還有兩個弟弟在鄉下，一年忙到頭，也還不夠吃的，還要靠他這裏每月寄錢回去。

小艾很喜歡聽他說鄉間的事，因爲從這上面她可以想像到她自己的家是什麼樣子。此外他又說起去年八一三那時候，上海打仗，他們那印刷所的地區雖然不在火線內，那一帶的情形很混亂，所以有一個時期是停工的。他就去担任替各種愛國團體送慰勞品到前線去，一天步行幾十里路。那是很危險的工作，他這時候說起來也還是很興奮，也很得意，說到後來上海失守，國民黨軍隊節節敗退，又十分憤慨。小艾不大喜歡他講國家大事，因爲他一說起來就要生氣。但是聽他說說，到底也長了不少見識。

小艾這一向常常溜出來這麼一會，倒也沒有人發覺，因爲現在家裏人少，五太太爲了節省開支，已經把劉媽辭歇了，剩下一個陶媽，五太太病在床上，又是時刻都離不開她的。除了有時候晚飯後，有根來了，陶媽一定要下樓去，到廚房裏去陪他坐着，不讓他有機會和小艾說話。

陶媽本來想着，只要給他娶個媳婦，他也就好了，所以她一直想回鄉下去一趟，憑自己的眼力替他好好的揀一個，但是因爲五太太病得這樣，一直也走不開。託人寫信回家去，叫他們的親戚給做媒，人家提的幾個姑娘，有根又都十分反對。陶媽轉念一想，他到上海來了這些時候，鄉下的姑娘恐怕也是看不上眼了，便又想在上海託人做媒，又去找上次把有根薦到那南貨店裏去的那個表親。那人和那南貨店老闆是親戚，沒事常到他們店裏去坐坐。他背地裏告訴陶媽，聽見說有根剛來的時候倒還老實，近來常常和同事一塊兒出去玩，整夜的不回來。陶媽聽了非常着急，要想給他娶親的心更切了。

有根雖然學壞了，看見小艾却仍舊是訥訥的。他也並不覺得她是躱着他，他以爲全是他母親在那裏作梗，急起來也曾經和他母親大鬧過兩回，說他一定要小艾，不然寧可一輩子不娶老婆。陶媽都氣破了肚子。她因爲恨自己的兒子不爭氣，這些話也不願意告訴人，一直也沒跟五太太說，所以鬧得這樣厲害，五太太在樓上一點也不知道。

景藩這時候已經回到上海來了，一直深居簡出的，所以知道的人很少。但是漸漸的就有一種傳說，說他在北邊的時候跟日本人非常接近，也說不定他這次回來竟是負着一種使命。外面說得沸沸揚揚的，都說席老五要做漢奸了。五太太從她娘家的親戚那裏也聽到這話。她問寅少爺，寅少爺說：『大概不見得有這個事吧。』五太太也知道，他即使有點曉得，也不會告訴她的。

四十

這時候孤島上的人心很激昂，像五太太雖然國家觀念比較薄弱，究竟也覺得這是一樁不名譽的事情，因此更添上一層憂悶。

景藩回上海以後，一直很少出去，只有一個地方他是常常去的，他有一個朋友家裏設着一個乩壇，他現在很相信扶乩。那地方離他家裏也不遠，他常常戴着一副黑眼鏡，扶着手杖，曬着太陽，悠然的緩步前往。這一天，那乩仙照例降壇，跟他們唱和了幾首詩，對於時局也發表了一些議論。但是它雖然有問必答，似乎對於要緊些的事情却抱定了天機不可洩露的宗旨，一點消息也不肯透露。因爲那天景藩從那裏回去，一出大門沒走幾步路，就有兩人向他開槍，他那朋友家裏忽然聽見砰砰的幾聲槍響，從陽台上望下去，只看見景藩倒臥在血泊裏，兇手已經跑了。這裏急忙打電話叫救護車，又通知他家裏，他姨太太秋老四趕到他朋友家裏，却已經送到醫院裏去了。又趕到醫院裏，已經傷重身亡。秋老四只是掩面痛哭，對於辦理身後的事情却不肯怎樣拿主意，因爲這是花錢的事情。她叫傭人打了個電話給寅少爺，等寅少爺來了，一應事情都叫他做主，寅少爺跟她要錢，她便哭着說他還不知道他父親揹了這許多債，哪兒還有錢。

寅少爺只得另外去想法子，這一天大家忙亂了一天，送到殯儀館裏去殯殮，寅少爺一直忙到很晚，方才回到家裏來。

四十一

那寅少爺也是個城府很深的人，他心裏想五太太這病是受不了刺激的，這消息要是給她知道了，萬一因此有個三長兩短，她娘家的人一定要怪到他身上，還是等明天問過她的兄嫂，假使他們主張告訴她，也就與他無干了。當晚他就把陶媽和小艾都叫了來，說道：『老爺不在了。太太現在病着，你們暫時先不要告訴她。明天的報不要給她看，要是問起來就說沒有送來。』此外他也分頭知照了幾家近親，告訴他們這樁事情是瞞着五太太的，免得他們洩露了消息。但是次日也仍舊有些親戚到他們這裏來致慰問之意，一半也是出於一種好奇心，見了五太太，當然也不說什麼，只說是來看看她。陶媽背着五太太便向他們打聽，從這些人的口中方才得知事實的眞相，寅少爺昨天並沒有告訴她們，原來景藩是被暗殺的。小艾聽見了覺得非常激動。一方面覺得快意，同時又有些惘惘的，需要一遍一遍的告訴自己，那個人已經死了。世界上少了他這一個人，彷彿天地間忽然空闊了許多。

這一天她見到金槐的時候，就把她從前那樁事情講給他聽。她一直也沒有告訴他，一來也是因爲他們總是那樣匆匆一面，這些話又不是三言兩語可以解釋得清楚的。同時她又對自己說，既然金槐也還沒有向她提起婚姻的事，她過去的事情似乎也不是非告訴他不可。倘若他要是提起來，她是一定要告訴他的。至於他一直沒有提起婚事的原因，大概總是因爲經濟的關係，據她所知，他拿到的一點工資總得分一大半寄回家去，自己過得非常刻苦，當然一時也談不到成家的話。在小艾的心理，也彷彿是寧願這樣延宕下去，因爲這樣她就可以用不着告訴他那些話。因爲她實在是不想說。

然而今天她是不顧一切的說了出來。她好像是自己家裏有這樣一個哥哥，找到這裏來了，她要把她過去受苦的情形全都訴給他聽。她又彷彿是告訴整個的世界，因爲金槐也就是她整個的世界。

他說的話很少，他太憤怒了，態度顯得非常僵硬。席景藩要是還活着，他眞能夠殺了他。但是既然已經死了，這種話說了也顯得不眞實，所以他也沒有說。他們站在馬路邊上，因爲小艾怕給熟人認出來，總是站在一個黑暗的地方，在兩家店舖中間，卸下來的排門好幾扇疊在一起倚在牆上，小艾便挨着那旁邊站着。兩邊的店家都在那昏黃的燈光下吃晚飯。小艾突然說道：『我進去了。』便轉過身來向衖堂口走去。金槐先怔了一怔，想叫她再等一會再進去，然而他趕上去想阻止她，她却奔跑起來，很快的跑了進去。金槐站在那裏倒呆住了，他這時候才覺得他剛才對她的態度不大好，她把這樣的話告訴他，他應當怎樣的安慰她才對，怎麼一句話也不說，倒好像冷冷的，她當然要誤會了。她回去了一定覺得非常難過。他這一天回到家裏，心裏老這樣想着，也覺得非常難過。

第二天他來得特別早些，她到了時候也出來了，但是看見了他却彷彿稍微有點意外似的，臉色還是很悽惶。金槐老遠的就含笑迎了上去，道：『你昨天是不是生氣了？』小艾笑了笑，道：『沒生氣。』金槐頓了一頓，方笑道：『我帶了一樣東西給你。』小艾笑道：『什麼東西？』

四十二

金槐拿出一個小紙包來，走到衖口的燈光下，很小心的打開來，小艾遠遠的看着，彷彿裏面包着幾粒丸藥，走到跟前接過來一看，却是金屬品鑄的灰黑色的小方塊，尖端刻着字像個圖章似的。金槐笑道：『這就是印書印報的鉛字，這是有一點毛病的，不要了。』小艾笑道：『怎麼這樣小，倒好玩！』金槐道：『這是六號字。』他把那三隻鉛字比在一起成爲一行，笑道：『這兩個字你認識吧？』小艾唸出一個『玉』字一個『珍』字，自己咦了一聲，不由得笑了起來。再看上面的一個字筆劃比較複雜，便道：『這是個什麼字？』金槐道：『哪，這是你的名字，這是姓。』小艾道：『不是告訴你我沒有姓嗎？』金槐笑道：『一個人怎麼能沒有姓呢？』小艾本來早就有點疑惑，看他這神氣，更加相信這一定是個『馮』字，便將那張紙攥成一團，把那鉛字團在裏面，笑着向他手裏亂塞。金槐笑道：『你不要？』小艾的原意，或者是想向他手裏一塞就跑了，但是這鉛字這樣小，萬一倒掉到地下去，滾到水門汀的隙縫裏，這又是個晚上，簡直就找不到了，那倒又覺得十分捨不得，因此她也不敢輕易撒手，他又不肯好好的接着，鬧了半天。他們平常總是站在黑影裏，今天也是因爲要辨認那細小的鉛字，所以走到最亮的一盞燈底下，把兩人的面目照得異常淸楚，剛巧被有根看見了。不然有根這時候也不會來的，是他們店裏派他去進貨，他覷空就彎到這裏來一趟，卻沒有想到小艾就站在馬路上和一個青年在一起，有根在她身邊走過，她都沒有看見。

有根走進去，來到席家，他母親照例陪着他在廚房裏坐着，便把前天老爺被刺的事情詳細的說給他聽。有根一語不發的坐在那裏，把頭低着，俯着身子把兩肘擱在膝蓋上。過了一會，小艾進來了，他一看也不看她，反而把頭低得更低了一點。

四十三

小艾因爲心裏高興，所以一點也沒注意到有根今天看見她一理也不理，有一點特別。她很快的走了過去，自上樓去了。有根突然向他母親說道：『怎麼，小艾在外頭軋朋友啊？』陶媽一時摸不着頭腦，道：『什麼？』有根哼了一聲道：『一天到晚在一塊兒，你都不知道。』陶媽便追問道：『你怎麼知道，你看見的呀？』有根氣憤憤的沒有回答，隔了一會，方才把他在衖口看見的那一幕敍述了一遍。陶媽微笑道：『要你管她那些閒事做什麼。』沉吟了一會，又道：『你看見那個人是什麼樣子？』有根恨道：『你管他是個什麼樣子呢！——還叫我不要多管閒事！』

他走了以後，陶媽心裏忖度着，想着倒也是一個機會，讓她嫁了也好，不然有根再也不會死心的。她趁着做飯的時候便盤問小艾，說道：『小艾，你也有這麼大歲數了，你自己也要打打主意了。那個人可對你說過什麼沒有，可說要娶你呀？』小艾呆了一呆，方道：『什麼人？』陶媽笑道：『你還當我不知道呢，不是有個男人常常跟你在外面說話嗎？』小艾微笑道：『哦，那是從前住在對過的，看見了隨便說兩句話，那有什麼。』陶媽便做出十分關切的神氣，道：『外頭壞人多，你可是得當心點。你可知道這人的底細？』小艾便道：『這人倒不壞，他在印刷所裏做事的。』陶媽眉花眼笑的說：『那不是很好嗎？你要是不好意思跟太太說，我就替你說去。這也是正經的事情。』小艾微笑着沒有作聲。她和金槐本來已經商量好了，金槐要她自己去對五太太說，現在陶媽忽然這樣熱心起來，她總有點疑心她是不懷好意，但是她眞要去說，當然也沒法攔她，也只好聽其自然了

四十四

陶媽當天就對五太太說了。五太太聽了這話，半天沒言語。其實五太太生平最贊成自由戀愛，不但贊成，而且鼓勵，也是因爲自己被舊式婚姻害苦了，所以對於下一代的青年總是希望他們『有情人都成眷屬』。她的姪兒姪女和內姪們遇到有戀愛糾紛的時候，五太太雖然膽小，在不開

罪他們父母的範圍內，總是處於贊助的地位的。但是在她的心目中，總彷彿談戀愛是少爺小姐們的事情，像些那僕役、大姐，那還是安分一點憑媒說合，要是也談起戀愛來，那就近於軋姘頭。尤其因爲是小艾，五太太心裏恨她，所以只要是與她有關的事情，都覺得有些憎惡。當下五太太默然半晌，方向陶媽說道：『這時候她要走了，她這一份事沒有人做了，你一個人怎麼忙得過來。再要叫我添個人，我用不起！』陶媽笑道：『不要緊的，我就多做一點好了，太太也用不着添人了。小艾也有這樣大了，留得住她的人，你也留不住她的心！』陶媽既然是這樣一力主張着，五太太也就不說什麼了。依允了以後，卻又放下臉子說道：『可是你跟她說，是她自己願意的，將來好歹我可不管呵！』

陶媽把這消息告訴小艾，說好容易勸得太太肯了。她又勸他們馬上把事情辦起來。金槐寫信回去告訴他家裏，他家裏是沒有什麼問題的。他本來在一個朋友家裏搭住，現在想法子籌了一點錢，便去租下一間房間，添置了一些家具，預備月底結婚。在結婚的前幾天，他買了四色茶禮，到席家去了一趟，算是去見見五太太。他本來不願意去的，因爲實在恨他們家，但是一趟也不去，似乎也說不過去，他也不願意叫小艾爲難。而且他知道五太太一直病在床上，根本也不會下來見他的。結果由陶媽代表五太太，出來周旋了一會，小艾也出來了，大家在客廳裏坐着，金槐沒坐一會就走了。

四十五

這兩天他們這裏剛巧亂得很，因爲六孫小姐回娘家來了。六孫小姐出嫁以後一直住在漢口，這次回來是因爲聽見景藩的噩耗，回上海來奔喪。這樁事情他們現在仍舊是瞞着五太太，寅少爺已經問過她娘家的兄嫂，他們一致主張不要告訴她，說她恐怕禁不起刺激。所以六孫小姐對五太太說，就不好說是來奔喪的，只好說是因爲五太太病了，到上海來看她的。

五太太聽她這樣說，於感動之餘，倒反而覺得傷心起來。向來一個後母與前頭的女兒總是感情很壞的，她們當然也不例外，想不到這時候倒還是六孫小姐還惦記着她，千里迢迢的跑來看她，而她病到這樣，景藩卻一次也沒有來看過她，相形之下，可見他對她眞是比路人還不如了。她對着六孫小姐，也不說什麼，只是流淚。六孫小姐只當她是想着她這病不會好了，不免勸慰了一番。

六孫小姐難得到上海來一次的，她住在五太太這裏，便有許多親戚到這裏來探望她，所以這兩天人來人往，陶媽一個人忙不過來，小艾就要出嫁了，自己不免也有些事情要料理，陶媽便想起那個辭歇了的劉媽。劉媽從這裏出去以後，因爲年紀相當大了，就也沒有另外找事，跟着她兒子媳婦住着，吃一口閒飯，也有時候帶着一隻水壺，幾隻玻璃杯，坐在馬路邊上賣茶。陶媽便和五太太說了，把她叫了來幫幾天忙。

四十六

有根自從上次生了氣以後，好些天也沒來，但是這一天晚上他又來了，剛巧劉媽一個人在廚房裏沖熱水瓶，見他來了，她衝着樓上喊了陶媽一聲，告訴她她兒子來了。灶上有開水，劉媽順手倒了杯茶給他，談話中間，便把小艾就要出嫁的消息講給他聽。那天金槐到這裏來，她也看見的，便絮絮的告訴有根他是怎樣的一個人，又說他還那樣周到，送了荔枝、桂圓、南棗、白糖四色茶禮。正好這兩天他們這裏常常來客，便把那桂圓、荔枝拿出來待客。陶媽聽見說有根來了，下樓的時候就帶了些下來，又想起南棗是最滋補的，便又包了一包南棗，拿到樓底下來。有根心裏正是十分憤懣，他母親卻抓了一把桂圓、荔枝擱在他面前的桌子上，笑道：『哪，你吃點。』又把一包棗子遞到他手裏，道：『看你這一向瘦得這樣，把這個帶回去，每天晚上，上床的時候吃幾個，補的。』有根接過來便向地下狠命一摜，道：『我才不要吃呢！』馬上站起身來就走了。劉媽在旁邊倒怔住了，也沒好說什麼。陶媽也只嘟囔了一聲：『這東西！』此外也沒有說什麼。

那包南棗摜在地下，紙包震破了，棗子滾了一地，陶媽後來一隻隻拾了起來。第二早上小艾掃地，卻又掃出兩隻棗子來，她便笑道：『咦，這兒怎麼掉了兩個棗子。』劉媽在灶上煮粥，忙回過頭來向她擺了擺手，又四面張望了一下，方才輕聲說道：『昨天都把我嚇一跳——有根也不知道爲什麼跟他媽鬧彆扭，他媽包了一包棗子叫他帶回去吃，他一摜摜了一地。』小艾聽了，她自然心裏明白，一定是因爲他知道是金槐送的禮，所以這樣生氣。她不免有些悵觸，因爲她對於有根，雖說是沒有什麼感情，總也有一種知己之感。

四十七

她後天就要結婚了。五太太早已和陶媽說過：『叫她早一天住出去。不能讓她在我家出嫁。』因爲有這樣一種忌諱，丫頭嫁人，如果從主人家裏直接嫁出去，有些主人就要不願意，認爲不吉利。所以小艾頭一天就辭別了五太太，搬到劉媽家裏去住着。劉媽自己在席家幫忙沒有回來，第二天便由她的媳婦做了送親的人。

小艾因爲在那天住在那裏打攪了他們，覺得很不過意，結了婚以後，過了些日子，便和金槐一同去看他們，五太太那裏她却一直沒有去過。後來劉媽有一次到五太太那裏去拜年，就告訴陶媽聽，說得花團錦簇，道：『看不出小艾還有這點福氣，她嫁的這男人眞不壞，上回到我家裏來，夫妻兩個，小艾穿了件新旗袍，絨線衫，像人家少奶奶一樣。說她婆婆也從鄉下出來了，鄉下苦，她年紀大了，也做不動，現在娶了媳婦了，所以出來跟他們一塊兒過了。』

劉媽因爲住得遠，平日也難得到五太太那裏去的。在這以後總有兩年多了，陶媽有一天忽然又來找她，說五太太病勢十分沉重，看樣子就在這兩天了，家裏人手太少，所以又要叫劉媽去幫忙。當下劉媽就跟着她一同回去，來到席家，却見他們客室裏坐滿了人，也有五太太娘家的親戚，席家這一邊，三太太也來了，還有些姪兒姪女和姪媳婦，寅少爺是去年結的婚，和他少奶奶在旁邊陪着。這兩天他們天天來，五太太心裏也還明白，看着這情形也猜着一定是醫生說她就要死了，所以大家都來了。獨有景藩，她病了這些年，他始終一次也沒有來過，彼此夫妻一場，連這一點情分都沒有，她就要死了，都不來看看她。

四十八

她也曾經問過寅少爺：『你這兩天看見你爸爸沒有？』這句話本來她一直也不肯出口的，但是到了最後，終於還是說了。寅少爺回說：『沒看見，我沒上那邊去。』五太太自然也不好再說什麼，但是她的心事寅少爺其實也知道。為這樁事青，他們家裏這些人一直也在那裏討論着，究竟是不是應當告訴她。要是索性瞞到底，豈不使她抱恨終天，心裏想她臨死景藩都不來跟她見一面。但是現在這時候要是告訴她，突然受這樣一個刺激，無異一道催命符。所以她娘家的人始終認為不妥。有她自己娘家人在場，她婆家這些人當然誰也不肯有什麼切實的主張。寅少爺更是不肯負擔這個責任，他要是贊成告訴，反而給人家說一句，因為是他的後母，到底隔一層了，所以他能夠這樣冷酷，置她的生命於不顧。

然而眼看着她這樣痛苦，就又有人提起來說：或者還是告訴她吧？大家每天聚集在樓下客室裏悄悄商議着，只是商量不出個所以然來。陶媽這天帶着劉媽一同上樓，便皺着眉輕聲和她說：『他們眞是的，其實明知道太太這病也不會好了，就告訴她有什麼要緊呢，告訴了她還讓她心裏痛快一點。』到了樓上，劉媽進房去叫了一聲『太太』。五太太躺在床上只是一聲一聲低低的哼着，眼睛似睜非睜，看那樣子已經不認識人了。陶媽向她望着，不由得掉下淚來，掀起衣襟來擦了擦眼睛，便恨恨的向劉媽輕聲道：『再不告訴她來不及了！』劉媽怔了一會，便道：『其實你就告訴她好了。』陶媽又躊躇了一下，便走到床前，劉媽站在門口望風，陶媽便俯下身去壓低了喉嚨連叫了幾聲『太太』，說道：『老爺三年前頭已經不在了，一直瞞着你的，不敢告訴你。』

四十九

五太太在枕上微側着臉躺着，像她那樣肥胖的人一旦消瘦下來，臉上的皮肉都鬆垂着，所以經常的有一種凄黯的神情。陶媽湊在她跟前向她望着，隔了一會，又喊了幾聲『太太』，見她的眼皮彷彿微微一動，陶媽便把剛才那幾句話又重複了一遍，但是依舊看不出她有什麼反應。到底也不知道她聽見了沒有。

陶媽直起身子來，和劉媽面面相覷了一會。房間裏靜靜的。在這種陰陰的天氣，雖然也並不十分冷，身上老是寒浸浸的，人在房間裏就像在一個大水缸的缸底。陶媽給五太太把被窩牽了一牽，覺得這棉被不夠厚，想拿出兩件衣服來蓋在脚頭，便去開抽屜，一開抽屜，却看見五太太那隻貓睡在裏面，這貓現在老了，怕冷，常常跑到櫃裏去鑽在衣服堆裏睡着。陶媽輕輕的罵了一聲，把牠趕了出來，拿出衣服來抖了一抖，拍了拍灰，便給五太太蓋在床上。

五太太的情形一直沒有什麼變化，拖到第二天晚上就死了。劉媽在他們家幫了幾天忙，入殮以後就回去了，因爲順路，便彎到小艾那裏去，想告訴她一聲五太太死了。

小艾他們現在住着一間前樓閣，同時有半間客堂他們也可以使用的，所以上次劉媽來的時候便在客堂裏坐着，沒有上去。那是個石庫門房子，這一天劉媽一推門進去，他們天井裏晾着些青菜，大概預備醃的，小艾的婆婆蹲在地下，在那陽光中把青菜一棵棵的翻過來，劉媽笑着叫了聲『馮老太』。馮老太一抬頭看見她，忙點頭招呼，笑道：『玉珍病了。』劉媽道：『怎麼病啦？』馮老太道：『是呀，有十幾天了，也不知是不是害喜。』說着，便站起身來把客人往裏讓，又向閣樓上嚷了一聲：『劉大媽來了。』

五十

劉媽便道：『我上去看看她去。』馮老太搬過一隻竹梯倚在閣樓上，劉媽便從梯子上爬上去，馮老太在下面扶着梯子，仰着臉只管叫着『走好！走好！』小艾在上面也帶笑連聲招呼着『當心！當心頭！』裏面黑魆魆的像個船艙似的，劉媽彎着腰進了門，進了門也仍舊直不起腰來。小艾忙把電燈捻開了，讓她在對面一張床上坐下。劉媽問候她的病，問她是不是有喜了。小艾彷彿有點難爲情，但是劉媽聽她說的那個病情，倒也不像是有喜，說是不能起床，一起來就腰痠頭暈。其實小艾自己也疑心，這恐怕還是從前小產後留下的毛病，不過她當然不會對她婆婆說這些，這時候她婆婆雖然不在跟前，她也很怕劉媽會提起從前的事情，忙岔開來說了些別的話。劉媽便告訴她五太太去世的消息。小艾聽了，也覺得有些愴然。雖然五太太過去待她並不好，她總覺得五太太其實也很可憐。

劉媽坐到她床上來，嘁嘁喳喳告訴她五太太臨終的情景。小艾的床前擱着一雙鞋，劉媽坐過來的時候一脚踩在上面，便拿起來撣了撣灰，笑道：『喲！你自己做的呀？越來越能幹了！』那是一雙青布絆帶鞋，卻仿照着當時流行的皮鞋式樣，鞋底分三層，一層青布包的，上面襯着一層紅布包的，又是一層淡灰色的。這雙鞋，她自己很是得意。

她自從出嫁以後，另是一番天地了，她彷彿新發現了這個世界似的，一切事物都覺得非常有興味。她現在做菜也做得不壞，不過因爲對於一切都有試驗的興趣，常常弄出很奇異的配搭，譬如洋山芋切絲炒黃豆芽。金槐起初也有點吃不慣，還是喜歡他母親做的菜，但是馮老太因爲有脚氣病，在灶前站久了就要脚腫。

五十一

他們這閣樓的板壁上挖了一個相當大的方洞，從這窗戶裏可以看見下面的客堂。劉媽偶一回頭，向下面看了看，便笑道：『你們金槐回來了。』金槐端了一張長板凳坐在他母親斜對面，兩人在那裏說話，臉色都很沉鬱。隔了一會，金槐便上來了，劉媽直讓他坐，在這低矮的屋頂下，不坐也是不行。他在對面的一張床上坐了下來，便微笑着問小艾：『你今天怎麼樣？可好了點沒有？』小艾笑道：『還是那樣。』金槐微皺着眉毛向她臉上望去，他坐在那裏，身子向前探着一點，兩肘架在腿上，十指交挽着，顯出那一種焦慮的樣子。小艾倒覺得有點窘，心裏想他今天怎麼回事，當着人就是這樣。金槐默然地坐了一會，便又下樓去了。他一走，劉媽便取笑小艾道：『你看金槐待你多好，爲你的病他那麼著急。』小艾只是笑。劉媽又坐了一會，便說要走了，小艾也沒有十分挽留，她並不怎麼歡迎劉媽常來，因爲劉媽雖然人還不壞，但是有點快嘴，來得多了，說話中間不免要把她的底細都洩露出來，小艾很不願意她同住的這些人知道她的出身，因爲一般人對婢女總有的點看不起的，而她是一個最要强的人。

劉媽從梯子上下去的時候卻有點害怕，先上來的時候還不很費事，現在站在門口低頭一看，那條梯子筆直的下去，簡直沒法下脚，只得一坐坐在門檻上，然後一步一步的往下挨。馮老太在下面攙扶着她，到了地面上，便又笑着替她在背後拍打了兩下，原來剛才那一坐，褲子上坐了一大塊黑跡子。劉媽也笑了起來，自己也拍打了一陣子，便告辭出門，馮老太母子都送了出去。

五十二

劉媽走了，馮老太便彎腰把地下晾著的青菜拾起來，却嘆了口氣，道：『早曉得少醃點菜了——又不能帶走。』金槐道：『送給別人醃好了。』說着，便轉身進去，匆匆的跑到閣樓上，向小艾說道：『我們那印刷所要搬到香港去了，工人要是願意跟着去，就在這兩天裏頭就要動身。』小艾噯呀一聲，在枕上撐起半身向他望着。金槐是很興奮，自從上海成了孤島，雖然許多人還存着苟安的心理，有志氣些的人都到內地去了，金槐也未嘗不想去，不過在他的地位，當然是不可能。到香港去，那邊的環境總比這裏要好些。

他又微笑道：『剛才我跟媽商量好了，你跟我一塊兒去，她回鄉下去。不過我看你這樣子好像不能走，怎麼辦呢？』小艾怔了一會，便道：『我想不要緊的，又不是什麼大病。』金槐向她望着，半天沒有作聲，然後說道：『我看你還是不要硬撐着，路上一定要辛苦點的。還是我先去，你隨後再來吧。』小艾自己忖度了一下，只得笑道：『那也好，我一好了就來。』金槐道：『只好這樣了。』他坐在她對面，把她床前的一雙鞋踢着玩，踢成八字脚的式樣，又給它並在一起。兩人都默然，過了一會，金槐又道：『聽見說香港的房子難找，我先去找好了地方也好。』

他們商量着什麼東西應當帶去，金槐說棉衣服可以用不着帶，香港天氣熱。小艾叫他把一隻熱水瓶帶去，金槐道：『等你來的時候再帶來好了，這兩天你們還要用呢。』又笑道：『你一個人跑到那裏，又不會說廣東話，等會給人拐去賣掉了。』小艾笑道：『我又不是個小孩子了！』

兩人表面上只管說說笑笑的，心裏却有點發慌。小艾擁着一床大紅碎花布面棉被躺在那裏，那黃色的電燈光從上面照射下來，在船艙似的閣樓上，大家心裏都說不出來是一種什麼感想，大概就是浮生若夢的感覺了。

五十三

在金槐動身前的那天晚上，箱子、網籃、包袱都理好了。他忽然想起來，又把桌子上的抽屜抽出來，把裏面的東西一陣子亂翻亂掀。馮老太在旁邊看着，便道：『你在那兒找什麼？』金槐只含糊的應了一聲：『我看看可還有什麼東西要帶去的。』等馮老太走開了，金槐便問小艾：『那張照片呢？』他們很少拍照的，小艾除了他們結婚的時候合拍的一張便裝照，也沒有什麼別的照片。這一天他問起來，小艾便笑道：『那張照片我送人了。』金槐便有點不大高興，咕嚕了一聲，道：『只剩那一張了怎麼也給人了。』後來馮老太把他的手絹子全都洗乾淨了，烘乾了拿來給他收在箱子裏。金槐打開箱子，箱子蓋裏面有一個夾袋，他把一疊手帕向裏面一塞，裏面除了一把新牙刷，還有一樣東西，摸着冰冷的，扁平而光滑的，是一張硬紙片，這用不着看，也就知道是什麼了。他把那張照片抽出一半來看了，便望着小艾笑了一笑，小艾橫了他一眼，然後也笑了。

這一天夜裏，金槐三點多鐘就起來了。他知道他母親和小艾也是剛睡着沒有一會，所以也不願意驚醒她們，輕輕的開了燈，把小件的行李先拎了兩樣，從梯子上下去，就在廚房裏盥洗了一下，再上來拿箱子。略有點響動，小艾便驚醒了，掙扎着要坐起來披衣下床，金槐忙按住她道：『你不要起來了。』她還有點睡眼矇矓，只覺得他的臉很冷，有一股淸冷的牙膏氣味。然後他就走了。她聽見他一路下去，後門砑的一聲關上了。隨着那一聲『砑！』便有一陣子寂寞像潮水似的湧了進來。那寂靜幾乎是嘩嘩的冲進來，淹沒了這房間。桌上的鐘滴答滴答走着，也顯得特別的響。

五十四

金槐到香港去了以後，不久就有信來，說那邊房子已經找好了，月底又滙了點錢來。這裏小艾也託樓下住的一個孫先生給寫了回信去，又寫了封信給鄉下的兄嫂，叫金槐的哥哥出來一趟，把母親接回去。一切佈置就緒，小艾的病卻是老不見好，心裏非常着急。馮老太也說是看這樣子大概是病不是喜。他們這附近有一家國藥店，店裏有一個醫生常駐在那裏，診金比較便宜，小艾便去看了一趟，吃了兩帖藥，也不甚見效。她那大伯馮金福倒已經來了。小艾結婚後一直也沒有回鄉下去過，所以還是第一次見面。

金福來了少不得總有一兩天的躭擱，也沒有地方住，只得在樓下客堂裏搭了個鋪。他們這客堂後面攔掉一半，作爲另一個房間租了出去，前面却把一排槅扇全都拆了，擴展到天井裏，佔去半個天井，所以名爲客堂，倒有一半是露天的，夜裏風颼颼的，睡在那裏十分寒冷。

金福有好些年沒到上海來過了，他來的第二天，早上起來吃了碗泡飯，便說要到外面去蹓蹓。出去沒有一會，却退回來了，說外面亂得很，馬路上走不通，馮老太正笑他不中用，小艾躺在床上，却說：『媽，你聽，今天外頭怎麼這樣鬧嚷嚷的。』

住在客堂後面的孫先生在一個洋行裏做式老夫的，每天早上按時出去上班，這時候也退了回來，帶來了驚人的消息，說日本兵開進租界了，外面人心惶惶，亂得一塌糊塗。

五十五

這一天大家都關着門守在家裏，沒有出去。孫先生到隔壁去借打電話，起初一直打不通，因爲電話太忙碌。直到晚飯後方才接通了，也聽到了一些消息，說日本人同日進攻香港，孫先生回來一說，小艾聽見說香港已經打起來了，面上也還不肯露出十分着急的樣子，反而用話去寬慰馮老太。雖說金槐在香港是舉目無親，單身一個人陷在那裏，但是他們印刷所裏這次去了那麼許多職工，大家緩急之間總也有個照應。而且香港那麼大地方，那麼許多人呢，不見得單是他就會遇到危險。說是這樣說，急也還是一樣的急。小艾別的不懊悔，只恨她自己沒有跟他一同去，就是死也死在一起。

十天以後，報上登出香港陷落的消息，至少那邊的戰事已經結束了。但是一個月兩個月的過去，上海香港之間一直信息不通，依舊生死莫卜。小艾他們這時候一點進項也沒有，稍微有一點積蓄，也快用完了。金福還住在他們這裏，起初是因爲路上不好走，他也沒法回原籍去，所以憑空又添上一個人坐吃。金福住在這裏，心裏也非常不安，因此也急於要回去。忽然有一天，他的三弟金桃也到上海來了，說金福幸而不在家鄉，這一向鄉下抽壯丁，捉人捉得非常厲害，他還是逃出來的。金福聽見這話，也只得死心塌地的住了下來。反而又添了一個人吃飯。他們兄弟倆四處託人找事，急切間哪裏找得到事情。

小艾病了這些時，現在漸漸的能夠起床了，就也想出去找事。像她這樣的人出去做事，通常的出路是幫傭，但是她非常不願意，她覺得那種勞役的生活她已經過夠了，事情重一點倒沒有關係，她就是不願意看人家的臉子。她想到工廠裏做工，但是沒有門路，也進不去。

五十六

金桃倒有了着落，由他表哥介紹到一個火爐店去學生意。這時候他們家裏實在維持不下去了，小艾急得沒有辦法，剛巧樓底下孫先生有一個朋友家裏要添一個女傭，孫家就把她薦了去。這家人家姓吳，男主人本來是孫先生的同事，不過是洋行裏的一個式老夫，也還是最近方才跳出去自立門戶，幾個人合夥開了個公司，因爲他會說幾句日本話，便勾結了日本人，小小的做些非法的生意。孫先生看着眼熱，又有些氣不服，所以把這些事情全部都給他說了出來，慨嘆着說他自己是不肯做這種事情，不然也發財了。

小艾到了吳家，他們那裏已經用了個燒飯娘姨，她就管洗衣服打雜兼帶孩子。那吳太太是個中年婦人，一張焦黃的尖削面龐，臉上那樣瘦，身上卻相當的胖，圓滾滾的身子，穿着件金晃晃的織錦緞旗袍。她有個脾氣，不肯讓傭人有一刻工夫閒着，否則就覺得自己花這些錢僱這麼個人有點寃枉。因此只要看見人家在那裏歇着，暫時沒做什麼，她沒事也要想出些事來給人做。每天吃剩下的鷄魚鴨肉，她寧可倒了也不給傭人吃，說道：『給他們吃慣了葷的，那天要是沒有葷菜吃就要嘰咕了！索性一年到頭給他們吃素，倒也一聲不響。』有時候罵燒飯的這碗菜做得不好，拿起來就往痰盂裏一倒，道：『當是燒壞了就給你們吃了？偏不給你吃！』小艾就最受不了這種叱罵的聲口，那彷彿是另一個世界的迴聲，她以爲是永別了的一個世界。但是她也只能忍耐着，這裏的工錢雖然也不大，常常有人來打麻將，所以外快很多。

她又把金福薦給他們，在吳先生的行裏做出店。金福很認識幾個字。

五十七

金福有了職業以後，也寄了點錢回家去，但是此後沒有多少時候，他的老婆就拖兒帶女找到上海來了。也還是因爲鄉下抽壯丁，他們家的男丁全跑光了，不出人就得出錢，保甲長藉端敲詐，金福的老婆被逼得沒有辦法，想着金福在上海也有了事情，便帶着幾個孩子和他們最小的一個弟弟一同到上海來了。當然仍舊是住在小艾這裏，好在小艾現在出去幫傭，不住在家裏，所以金福也可以不用避什麼嫌疑，便和他的老婆孩子一齊都住到閣樓上去。

小艾有時候回家來看看，彷彿形成了鵲巢鳩佔的局面。但是她覺得這也是應當的，她因爲她自己娘家沒有人，一向把金槐家裏的人當作她的至親骨肉看待。同時她總忘不了她從前是個丫頭，人家總說大戶人家出來的丫頭往往好吃懶做，不會過日子，她倒偏要爭口氣，所以一向非常刻苦，總想人家說她一聲賢惠。她現在每月的收入自己很少動用，總是拿到家裏來。不但馮老太靠她養活，就連金福夫婦也全仗她接濟，金福的收入有限，又有那麼一大羣兒女嗷嗷待哺，也實在是不夠用。最小的一個小叔金海已經送到一片皮鞋店裏做學徒去了，兩個小叔都在店裏學生意，雖然管吃管住，衣裳鞋襪還是要自己負担，又要小艾拿出錢來。她有時候也有一點怨，但是每逢看到他們總覺得十分親切。尤其是現在，香港陷落了已經快四個月了，金槐至今還沒有信來，她漸漸的感到淒涼恐怖和絕望，在這種時候，偶爾抽空回去一趟，雖然家裏這些人也並不能給她什麼安慰，她只要聽見他們一家老小嘰哩喳啦用他們的家鄉口音說着話，不由得就有一種溫暖之感，也不知爲什麼緣故，心裏彷彿踏實了許多。

有一天晚飯後，金福忽然到吳家來找小艾，很興奮的說：『金槐有信來了！今天早上到的，他們也不曉得，等我回去才看見。』說著便從衣袋裏取出那封信來，念給她聽。上寫着：

『玉珍賢妻：吾現已平安到抵貴陽，可勿必罣念。在香港戰事發生後，吾們雖然飽受驚恐，幸而倒沒有受傷。惟印刷所工作停頓，老闆復避不見面，拒絕援助，以致同人們告貸無門，流落他鄉。去冬港地天氣反常奇冷，棉衣未帶，飢寒交迫。吾們後來決定冒着艱險步行赴內地，現已到抵貴陽，在此業已找到工作，暫可餬口。現在別的沒有什麼，只是不放心你們在上海，不知何日再能團聚。而且家中生活無着。不知你病好了沒有？你的身體也不好，但吾母親與家裏人仍須賴你照應。書不盡言，夫金槐白。』

小艾聽到後來，不覺心頭一陣辛酸，兩行熱淚直流下來。她本來想馬上就寫回信，就請金福代筆，可是這封信她倒有點不願意叫他寫，另外去找了個測字先生寫了。其實裏面也沒有什麼話，不過把家中的近況詳細告訴他，無非叫他放心的意思。她現在也略微認識幾個字了，信寫好了，自己拿着看看，不是自己寫的，總覺得隔着一層。她忽然想起來從前他給她的『馮玉珍』三顆鉛字，可以當作一個圖章蓋一個在信尾。他看見了一定要微笑，他根本不知道那東西她一直還留着。

次日下午，她趁着吳太太出去打牌，就溜回家去拿那鉛字。馮老太見她來了，便說起金槐來信的事，因道：『這金槐也是的，跑到那地方去——不是越走越遠了嗎？』小艾也沒有替他辯護，心裏想說了她也不懂。

五十八

她那鉛字是包了個小紙包，放在一隻舊牙粉盒裏，盒面上印着一隻五彩的大蝴蝶。她記得就在抽屜裏的一角，但是找來找去找不到。馮老太問道：『你在抽屜裏找什麼？』小艾道：『我有個牙粉盒子裝着點東西，找不到了。』馮老太道：『那天我看見阿毛拿着個牙粉盒子在玩的，一定給她拖不見了。』阿毛是金福的大女兒。當下小艾便沒有說什麼，心裏想要是查問起來，她嫂嫂要多心了，而且東西到了小孩手裏，一定也沒有了，問也是白問。但是她為這一樁小事，心裏却是十分氣惱，又覺得悲哀。同時又注意到桌上擱着一隻雙耳小鋼精鍋子，是她借給他們用的，已經敲癟了兩塊。

家裏有小孩，東西總是容易損壞些。金福夫婦帶着幾個孩子在這裏一住兩三年，家具漸漸的都變成缺胳膊少腿的。這還沒有什麼，小艾有一次回來，看見她的一面腰圓鏡子也砸破了，用一根紅絨繩縛起來，勉强使用着，鏡面上横切着一道裂痕。小艾看了，心裏十分氣苦。金槐到內地去已經有兩三年了，起初倒不斷的有信來，似乎他在那邊生活也非常困苦，一度到重慶去過，後來因為失業，又飄流到湖南，在湖南一個小印刷所工作過一個時期。今年却一直沒有信來，也不知道為什麼。她打聽別人，也有人說是長久沒有收到『裏邊』來的信了。

她有一個小姊妹名叫盛阿秀，住在他們隔壁，這一天阿秀聽見說她回來了，便走過來找她談天。只有她們兩人在閣樓上，那阿秀是個爽快的人，心裏擱不住事，就告訴小艾聽她的丈夫怎樣負心，她丈夫也是到內地去了，聽說在那邊已經另外有了人。她訴說了半天，忽然想起來問小艾：『你們金槐可有信來？』小艾苦笑道：『沒有，差不多一年沒有信了。聽見人家說，現在信不通。』阿秀道：『哪裏！昨天我還聽見一個人說接到重慶他一個親戚的信。』小艾聽了這話，不由得心裏震了一震。

五十九

阿秀也默然了。過了一會，方道：『聽他們說，到重慶去的這些人，差不多個個都另外討了女人。黑良心，把我們丟在這裏，就打算不要了。我就不伏這口氣——我們不會另找男人呀？他們男人可以我們女人不可以呀？老實說，現在這種世界，也無所謂的！』她脹紅了臉，說話聲音很大，小艾聽她那口氣，彷彿她也另外有了對象了。

她們這樣在閣樓上面談話，可以聽見金福的老婆在樓下納鞋底，一針一針把那麻線戛戛的抽出來，這時候那戛戛的聲音却突然的停止了，一定是在那裏豎着耳朵聽她們說話。等會一定要去告訴馮老太去了。馮老太的脾氣，也像有一種老年人一樣，常常對小艾訴說大媳婦怎麼怎麼不好，但是照樣也會對大媳婦說她不好的。小艾可以想像她們在背後會怎樣議論她，一定說是阿秀在那裏勸她，叫她把心思放活動一點。本來像她這樣住在外面，要結識個把男朋友也很便當的。

也說不定她們竟會疑心她有點靠不住。她突然覺得非常厭煩。她辛辛苦苦賺了錢來養活這批人，只是讓他們偵察她的行動，將來金槐回來了，好在他面前搬是非造謠言嗎？她倒變成像從前的寡婦一樣了，處處要避嫌疑，動不動要怕人家說閒話。她有時候氣起來，恨不得撇下他們不管了，自己一個人到內地去找金槐去。但是他的母親是他託付給她的，怎要能不管呢？所以想想還是忍耐下去了，只是心裏漸漸覺得非常疲倦。

她在那吳家做事，吳家現在更發財了，新買了部三輪車。有一天他們的三輪車夫在廚房裏坐着，有客人來了，一男一女，在後門口遞了張名片給他，他拿着進去，因見小艾在客堂裏擦玻璃窗，便把名片交給她拿上去。小艾把那張『陶攸賡』的名片送上樓去，吳先生馬上就下來了，把客人讓到客堂裏坐着。小艾隨即倒了茶送進去，還沒有踏進房門，便聽見裏面有一個人說話的聲音有點耳熟。

六十

她再往前走一步，一眼便看見沙發上坐着一個胖胖的西裝男子——是有根。不過比從前胖多了，臉龐四周大出一圈來，眉目間倒顯得擠窄了些，乍一看見幾乎不認識了。小艾捧着一隻托盤，站在門口呆住了。自從她出嫁以後，一直也沒有聽到有根的消息，原來他發財了。有根雖然是迎面坐着，他正在那裏說話，却並沒有看見她，小艾的第一個衝動便是想退回去，到廚房裏去叫他們家裏車夫把茶送進去。正這樣想着，一回頭，却看見吳太太從樓梯上走下來，吳太太換了件衣服，也下來招待客人了。這裏小艾端着個茶盤攔門站着，勢不能再踟躕不前了，只得硬着頭皮走進客廳。吳太太也進來了，大家只顧應酬吳太太，對於這女傭並沒有怎樣加以注意。小艾便悄悄的繞到沙發背後，把一杯茶擱在有根的茶几上，他同來的還有一個艷裝的年輕女人，也擱了杯茶在她旁邊。吳先生敬他們香烟，有根却笑道：『哦，我這兒有我這兒有！我的喉嚨有點毛病，吃慣了這個牌子的，吃別的牌子的就喉嚨疼。』一面說着，已經一伸手掏出一隻赤金香烟盒子，打開來讓吳先生抽他的。

吳太太笑道：『把衣裳寬一寬吧。』兩個客人站起來脫大衣，小艾拎着個空盤子正想走出去，吳太太却回過臉來向她咕噥了一聲：『大衣掛起來。』小艾只得上前接着，有根把大衣交到她手裏的時候，不免向她看了看，頓時臉上呆了一呆，又連看了她幾眼，雖然並沒有和她招呼，却也有點笑意。但是在小艾的眼光中，這微笑就像是帶着幾分譏笑的意味。她板着個臉，漠然的接過兩件大衣，掛在屋角的一隻衣架上，便走了出去，自上樓去了。她到樓上去洗衣服，就一直沒有下來。半晌，忽然聽見吳太太在那裏喊：『馮媽，來謝謝陶太太！』想必是有根的女人臨走丟下了賞錢。小艾裝作沒聽見，也沒下去。後來在窗口看見有根和那女人上了三輪車走了，她方才下樓。吳太太怒道：『喊你也不來，人家給錢，都沒有人謝一聲！』小艾道：『剛才寶寶醒了，我在那兒替他換尿布，走不開。』

六十一

吳太太把桌上幾張鈔票一推，道：『哪，拿去。你跟趙媽一人一半。』這錢小艾實在是不想拿，但是不拿似乎又顯着有點奇怪。只得伸過手去，那鈔票一拿到手裏，彷彿渾身都有一種異樣的感覺。

她聽他們正在那裏談論剛才兩個客人，吳先生說幾時要請他們來打牌，吳太太却嫌這一個陶太太不是正式的，有點不願意。小艾聽他們說起來，大概有根是跑單幫發財的。她心裏却有點百感交集，想不到有根會有今天的一天。想想眞是不服，金槐哪一點不如他。同時又想着：『金槐就是傻，總是說愛國，愛國，這國家有什麼好處到我們窮人身上。一輩子吃苦挨餓，你要是循規蹈矩，永遠也沒有出頭之日。火起來我也去跑單幫做生意，誰知道呢，說不定照樣也會發財。人生一世，草生一秋，我也過幾天鬆心日子。』

她下了個決心，次日一早便溜出去找盛阿秀商量，阿秀有兩個小姊妹就是跑單幫的。小艾把一副金耳環兌了，辦了點貨，一面進行着這樁事情，一面就向吳家辭工，只說要回鄉下去了。她家裏的人對於這事却不大贊成，金福屢次和馮老太說，其實還是幫傭好，出去跑單幫，一去就是許多日子不回來，而且男女混雜，不是青年婦女能做的事情。但是小艾總相信一個人只要自己行得正，立得正，而且她在外面混了這幾年，也磨練出來了，誰也不要想佔她的便宜。然而現在這時候出門去，旅途上那種混亂的情形她實在是不能想像，一個女單幫只要相貌長得好些，簡直到處都是一重重的關口，單是那些無惡不作的『黑帽子』就很難應付。小艾跑了兩次單幫，覺得實在幹不下去了，便又改行揹米。運氣好的時候，揹一次倒也可以賺不少錢。身體却有些支持不住了，本來有那病根在那裏，辛勞過度，就要發作起來。

六十二

有一天金福的女兒阿毛正蹲在天井裏，用一把舊鐵匙子在那裏做煤球，忽然聽見哄通一聲響，有什麼東西撞在大門上，她趕出去一看，却是小艾回來了，不知怎麼暈倒在大門口，揹的一袋米甩出去幾尺遠。阿毛便叫起來，大家都出來了，七手八腳把她抬進去。

馮老太看她這次的病，來勢非輕，心裏有些着慌，也主張請個醫生看看。次日便由她嫂嫂陪着她到一個醫院裏去，這醫院裏門診的病人非常多，掛號要排班，排得非常的長，內科外科分好幾處，看婦科也不知道應當排在哪裏。金福的老婆見有一個看護走過，便陪着笑臉走上去問她，還沒開口，先叫了聲『小姐』，一句話一個『小姐』。那看護寒着臉向她身上穿著打量了一下，略指了指，道：『站在那邊。』便走開了。小艾在旁邊看着，心裏非常起反感。排了班掛號以後，又排了班候診，大家擠在一間空氣混濁的大房門裏，等了好幾個鐘頭。小艾簡直撐不住了，一陣陣的眼前發黑，一面還在那裏默默背誦着她的病情，好像預備考試一樣，惟恐見到醫生的時候有什麼話忘了說，錯過了那一刻千金的機會。後來終於輪到她了，她把準備下的話背了一遍，那醫生什麼也沒說，就開了張方子，叫她吃了這藥，三天後再來看。

她那天到醫院去大概累了一下，病勢倒又重了幾分。把那藥水買了一瓶來吃着，也沒有什麼效驗，當然也就沒去複診了。

慶祝勝利的爆竹她也是在枕上聽着的。勝利後不到半個月，金槐便有信來了，說他有一年多沒有收到家信了，聽見人家說是信不通，他非常惦記不知道家裏的情形怎麼樣。現在的船票非常難買，他一買到船票就要回來了。

阿秀有一天來探病，小艾因爲阿秀曾經懷疑過金槐或者在那邊也有了女人，現在她把金槐這封信拿出來給阿秀看，不免流露出一絲得意的神情。但是後來說說又傷心起來，道：『我這病恐怕也不會好了，不過無論怎樣我總要等他回來，跟他見一面再死。』說着便哭了。阿秀道：『年紀輕輕的，怎麼說這種話。你哪兒就會死了，多養息養息就好了。』

六十三

小艾再也沒想到，這船票這樣難買，金槐在重慶足足等了一年工夫，這最後的一年最是等得人心焦，因為覺得冤枉。金槐回來的那天，是在一個晚上，在那昏黃的電燈光下，眞是恍如夢寐。金槐身上穿着的也還是他穿去的衣裳，已經襤褸不堪，顯得十分狼狽。馮老太看他瘦得那樣子，這一天因為時間已晚，也來不及買什麼吃的，預備第二天好好的做兩樣菜給他吃。次日一早，便和金福的老婆一同上街買菜。

自從小艾病倒以後，家中更是度日艱難，有飯吃已經算好的了，平常不是榨菜，就是鹹菜下飯，這一天，却做了一大碗紅燒肉，又燉了一鍋湯。金槐這一天上午到他表弟那裏去，他們留他吃飯，他就沒有回來吃午飯。家裏燒的菜就預備留到晚上吃，因為天氣熱，擱在一個通風的地方，又怕孩子們跑來跑去打碎了碗，馮老太不放心，把兩碗菜搬到櫃頂上去，又怕悶餿了，又去拿下來，一會兒擱到東，一會兒擱到西。小艾躺在床上笑道：『聞着倒挺香的。』馮老太笑道：『眞是人逢喜事精神爽，你胃口也開了，橫是就要好了。你今天也起來，下去吃一點吧。』

金桃金海也來了，今天晚上這一頓飯彷彿有一種團圓飯的意義，小艾便也支撑着爬起來，把頭髮梳一梳通，下樓來預備在飯桌上坐一會。金福幾個小孩早在下首團團坐定，馮老太端上菜來，便向孩子們笑道：『不要看見肉就拚命的搶，現在我們都吃成「素肚子」了，等會吃不慣肉要拉稀的。』正說着，忽然好像聽見頭頂上簌的一聲，接着便是輕輕的『叭』一響，原來他們這天花板上的石灰常常大片大片的往下掉，剛巧這時候便有一大塊石灰落下來，正落到菜碗裏。大家一時都呆住了。靜默了一會之後，金槐第一個笑了起來，大家都笑了。就中只有小艾笑得最響，因為她今天實在太高興了，無論怎麼樣，金槐到底是回來了。

六十四

金槐一回來就找事，沒有幾天，便到一個小印刷所去工作。小艾的病他看着很着急，一定逼着她要好好的找個醫生看看。這一天他特為請了假陪她去，醫生給她檢查了一下，說是子宮炎，不但生育無望，而且有生命的危險，應當開刀，把子宮拿掉。開刀自然是需要一大筆錢。兩人聽了，都像轟雷擊頂一樣。還想多問兩句，看護已經把另一個病人引了進來，分明是一種逐客的意思，只得站起身來走出去了。

回到家裏，小艾在閣樓上躺着，大家在樓下吃晚飯，金槐一個人先吃完，便到閣樓上去，拿熱水瓶倒了杯開水喝，一面就在她對面坐下，捧着杯子，將手指甲敲着玻璃杯，的的作聲。半晌，方才自言自語道：『這怎麼辦呢，開刀費要這麼許多，到哪兒去想辦法呢？』小艾翻過身來望着他說道：『你不要愁了，我也不想開刀。』金槐怔了怔，因道：『你不要害怕，許多人開刀，一點也沒有什麼危險的。』小艾道：『我不是怕。我不願意開刀。』金槐道：『爲什麼呢？』問了這樣一聲以後，自己也就明白過來了，她一定是想着，要是把子宮拿掉，那是絕對沒有生育的希望了，像這樣拖延下去，將來病要是好些，說不定還可以有小孩子。他便又說道：『還是自己身體要緊，醫生不是說不開刀很危險的？』

小艾沒有回答。金槐心裏也想着，這時候跟她辯些什麼，反正也沒有錢開刀，彷彿辯論得有些無謂，便沒有再說下去了。因見她臉色很凄楚的樣子，便坐到她床沿上去，想安慰她兩句。他一坐坐在她一條手絹子上，便隨手揀起來，預備向她枕邊一拋，不料那手絹子一拿起來，竟是濕淋淋的，冰涼的一團。想必剛才她一個人在樓上哭，已經哭了很久的時間了。

他默然了一會，便道：『你不要還是想不開。有小孩子沒小孩子我一點也不在乎。只要你身體好。』小艾一翻身朝裏睡着，半晌沒有作聲。許久，方才哽咽着說道：『不是，我不是別的，我只恨我自己生了這病，你本來已經夠苦的了，我這樣不死不活的，一點事也不能做，更把你拖累死了。』金槐伸過手去撫摸她的頭髮，道：『你不要這樣想。』只說了這樣一句，聽見外面梯子格吱格吱響着，有人上樓來了，就也沒說什麼了。

自從金槐回來以後，金福的老婆因爲叔嫂關係，要避一點嫌疑，不好再住在閣樓上，便帶着孩子們回鄉下去了。金福這時候仍舊在吳先生行裏做出店，便和吳先生商量，晚上就住在寫字間裏。金槐這裏只剩下馮老太和他們夫妻兩個，頓時覺得耳目一清。金福的幾個孩子在這裏的時候，一天到晚兒啼女哭，小艾生病躺在床上，病人最怕煩了，不免嫌他們討厭，但是這時候他們走了，不知爲什麼倒又有點想念他們。現在家裏一共這兩個人，倒又老的老、病的病，金槐晚上回來，也覺得家裏冷淸淸的。金槐雖然說是沒有小孩子他一點也不介意，但是她知道他也和她一樣，很想有個孩子。人到中年，總不免有這種心情。

六十五

樓下孫家有一個小女孩子很是活潑可愛，金槐總喜歡逗着她玩，後來小艾和他說：『你不要去惹她，她娘非常勢利，看不起我們這些人的。』金槐聽了這話，就也留了個神，不大去逗那孩子玩了。有一天他回家來，却又笑着告訴小艾：『剛才在外頭碰見孫家那孩子，弄堂裏有個狗，她嚇得不敢走過來。我叫她不要怕，我拉着她一起走，我說你看，牠不是不咬你麼，她說：剛才我要走過來，牠在那兒對我喊。』他覺得非常發噱，她說那狗對她『喊』，告訴了小艾，又去告訴馮老太。又有一次他回來，又告訴她們一個笑話，他們弄堂口有個擦皮鞋攤子，那擦皮鞋的看見孫家那孩子跑過，跟她鬧着玩，問她鞋子要擦吧，她把脖子一扭，臉一揚，說：『棉鞋怎麼好擦呢？』金槐彷彿認為她對答得非常聰明。小艾看他那樣子，心裏却是很悵惘，她因為自己不能生小孩，總覺得對不起他。

她一直病在床上，讓她婆婆伺候着，心裏也覺得不安，而且馮老太有腳氣病，也不大能多走動，這一向小艾彷彿好了些，便照常起床操作。阿秀有一天來看她，阿秀的丈夫已經從內地回來了，把另一個女人也帶到上海來，阿秀便和他離了婚，正式跟了她相與的那個男人。阿秀把她離婚的經過演述了一遍，然而她今天的來意，却是因為惦記着小艾的病，她聽見說現在某處有個『小老爺』治病非常靈，勸小艾去求個方子，沒曉得她已經好了。小艾聽她說那『小老爺』怎樣怎樣靈，心裏却也一動，暗想她這病要是能夠治得除了根，或者可以有小孩子。從前有一次，樓上二房東家裏有人生病，把一個看香頭的女人請了來，小艾在旁邊看着她作法。至少這種人不像醫生那樣的給她自卑感。這些人都是騙取窮人的血汗錢騙取慣了的，再小的數目他們也並不輕視，倒不像一般醫生，給窮人看病總像是施捨，一副施主的面孔。

六十六

那天晚上金槐回來，她就沒有告訴他阿秀勸她到那地方去看病的話，因爲她知道他一定是不贊成的。後來馮老太却當作一件新聞似的告訴了他，說有個什麼『小老爺』，是一個夭折的小孩，死後成了『仙』，給人治病非常靈驗，阿秀介紹小艾也去看。金槐聽了很生氣，說那些都是迷信騙錢的把戲。他倒是主張小艾另外去找個醫生看看，因爲上次那醫生說她不開刀非常危險，現在倒好了些了，似乎那醫生的診斷也不是一定正確。但是小艾非常不願意找醫生，而且病既然好些了，當然也不必去看了，家裏也沒有富裕的錢，所以說說也就作罷了。

小艾用錢雖然省儉，也常常喜歡省下錢來買一點不必要的東西。有時候到小菜場去，看見賣梔子花的，認爲便宜，就帶兩枝回來插在玻璃杯裏，有時候又去買兩朵白蘭花來掖在鬢髮裏面。又有一次她聽見鄰居在那裏紛紛談論筱丹桂自殺的事，說是被一個流氓逼死的，丟下多少箱衣服首飾，多少根金條。她很想看看筱丹桂生前是什麼樣子，走過報攤，便翻翻看報上可有筱丹桂的照片，買一張來看看。那報販隨便拿了一張報紙給她，指指上面一個漂亮女人的照片說是筱丹桂，她便買了回來，後來才知道並不是的。她對於紹興戲不大熟悉，比較更愛看申曲，因爲申曲比較接近金槐他們的鄉音，句句都可以聽得懂。她自從到他們家裏來，口音也跟他們同化了。

她到阿秀家裏去回看她，碰見從前一塊兒揹米的一個女人，大家叫她陳家浜阿姐。她大着個肚子，說：『眞是討厭，家裏已經有了四個，再養下來眞養不活了，這一個我預備把他送掉了。』小艾道：『那總捨不得吧？』陳家浜阿姐道：『眞的，我眞在那兒打聽，有誰家要，養下來就給抱了去了，比跟着我餓死的好。』

她有事先走了，小艾便向阿秀仔細打聽她家裏的情形，從前一同揹米只曉得她人很好，却連她的姓名都不淸楚。聽阿秀說，她家裏也是很好的人家，不過苦一點。小艾沉吟了一會，便道：『她那孩子要是眞想給人，不如就給我吧。我可也沒有錢，不過我自己也沒有小孩子，總不會待錯他的。』阿秀笑道：『要是給你，大家都是知道的，她更可以放心了。』又道：『要不你還是等她養下來再說。我勸你要領還是領個女的，明天你自己再養個兒子。』小艾只是苦笑，也沒有說什麼。

六十七

阿秀答應就去跟那陳家浜阿姐說，她大概就在這個月裏也就要生產了。小艾回到家裏，和家裏的人說了，金槐沒有什麼意見，他心裏想領一個小孩也好，免得她老惦記着，成了一樁心事。馮老太却很不以爲然，當面沒好說什麼，背後就跟金槐叨叨：『其實你哥哥這麼些小孩子，你們就領他一個不好嗎，又要到外頭去領一個幹什麼？』說了不止一次了，金槐自然也沒去告訴小艾，却被他們同住的一個女人聽見了，便把這話傳到小艾耳朵裏去。其實小艾也並不是沒想到這一層，本來金福夫婦正嫌兒女太多，要是過繼一個給他們兄弟，正是求之不得的，可以減輕一點負擔。但是小艾總想着，既然要一個小孩，就不要讓他知道他不是她生的，不然現放着他親生父母在那裏，等會辛辛苦苦把他帶大了，孩子還是心向着別人。所以她哥嫂的小孩她決計不要，即使他們因此有點不樂意，她自己覺得沒什麼對不起他們的，這一家子從她婆婆起，這些年來全是她在那裏赤膽忠心的照應他們，就算她在這樁事情上是任性一點，彷彿也無愧於心。

沒有幾天的工夫，阿秀跑了來告訴小艾，陳家浜阿姐已經生了，是個女孩子。小艾便和她一同去，把孩子抱了來。馮老太起初雖然反對，等到看見了孩子，倒也十分疼愛，興興頭頭的幫着調代乳糕，縫小衣服，給孩子取了個名字叫引弟。有一天晚上金福來了，聽見說領了個孩子，當着他夫婦的面也沒好說什麼，後來金槐出去買香烟了，只有馮老太一個人在那裏，金福便皺着眉和馮老太說：『自己養的叫沒有辦法——現在東西這樣漲，自己飯都要沒得吃了，還去領這樣一個小孩子來，一天到晚忙着小孩子，把一個人也絆住了，不然這時候毛病好了些，也可以出去做事了。』小艾在閣樓上，馮老太曉得她聽得見的，向金福遞了個眼色，金福也沒留神。小艾在上面聽見了，未免有些刺心，因爲他說的這話也都是實情，在現在這種時候領個孩子來，也許是有一點瘋狂。

六十八

那年下半年，金桃結婚了，新立起一份家來，自然需要不少費用，金槐和小艾商量着，幫了他一筆錢，所以剛有一點積蓄，又貼掉了。過年的時候吃年夜飯，照例有一尾魚，取『富貴有餘』的意思，小艾背着馮老太悄悄和金槐笑着說：『去年不該吃了白魚，賺了點錢都「白餘」了。今年我們買條青魚。』

年三十晚上，金福也到他們這裏來吃團圓飯。金福到上海來這些年，一直很不得意，在吳先生行裏做出店，吳先生欺負他老實，過去生活程度那樣漲，老是不給他加工錢。他現在老婆兒女都在鄉下，晚上一個人在寫字間裏打地鋪，很是凄涼。這一天在金槐這裏吃年夜飯，酒酣耳熱的，却是十分高興，笑道：『現在我們眞翻身了，昨天去送一封信，電梯一直坐到八層樓上，他媽的，從前哪裏坐得到——多走兩步路倒也不在乎此，我就恨他們狗眼看人低，那口氣實在嚥不下，哪怕開一兩個人上去，電梯裏空空的，叫他帶一帶你上去，開電梯的說：給大班看見他要吃排頭的！』

金桃結了婚以後，馮老太便輪流的這邊住住，那邊住住，這一向她住在金桃那裏。這一天小艾要想出去一趟，去看看劉媽，託託她可有什麼絨線生活介紹她做。她把引弟也帶了去，因爲馮老太不在這裏，把孩子一個人丟在家裏不放心。引弟現在大了些，從前剛抱來的時候還看不出，現在却越長越不好看了，冬瓜臉，剪着童化頭髮，分披在兩旁，她却是兩隻招風耳，把頭髮戳開了，豎在外面。人家說她難看，小艾還不伏氣，總是說一個小孩要她那麼好看幹什麼，有許多孩子小時候長得好看，大了都變醜了。

這一天她帶着孩子到劉媽那裏去，劉媽還是第一次看見引弟，便道：『喲，這孩子兩耳招風！』又笑道：『不是我說，自己養的長的醜是沒辦法，你領爲什麼不領個好看點的。』小艾和劉媽究竟比較客氣，只得微笑道：『再大一點不知道可會好一點。人家說「女大十八變」嘛！』

劉媽和她好幾年沒見面了，敍談起來，便告訴她說：『你可曉得，陶媽現在享福了，做老太太嘍！』小艾猜着她是說有根發財的事情，便裝作不知道。劉媽便從頭告訴她，有根那時候跑單幫發了財，後來生意做得很大。現在是沒有那樣好了，囤貨的生意也不能做了，但是劉媽說：『像他那樣，「窮雖窮，還有三擔銅。」』小艾聽了這話，不免又把自己的境況和他比較着，心裏想像金槐這樣一直從事於正當的勞動，倒反而還不如他。那天回到家裏來，心裏不免有許多感慨。這兩天金槐的印刷所裏工作特別忙，晚上要做『加工』，夜深才回來，他們的二房東十點鐘就關電門，他摸黑爬到閣樓上來，把桌子椅子碰得一片聲響，把小艾也驚醒了。他因爲太疲倦了，一覺睡到第二天早上，一個身也沒翻，汗出得多了，生了一身痱子。小艾見他累得這樣，又覺得心疼。

六十九

她在那裏替人家打一件淡粉色兔子毛絨線衫，那絨線衫非常容易髒，常常要去洗手，肥皂倒費掉許多。這一天她打完了一團絨線，再去拿，却沒有了。她非常詫異，在床上床下，抽屜裏，桌子底下，箱子背後，到處都找遍了，也找不到。又疑心或者是從閣樓的窗戶裏掉下去了，到客堂裏去找，也影踪毫無。孫師母見了，問她找什麼，小艾道：『我打衣裳的絨線，不知可從上頭掉下來了。』孫師母的小女兒在旁邊說：『昨天好像看見引弟拿着團絨線在那兒扔着玩。』小艾去問引弟，也問不出什麼來。猜着一定是給她亂拖，拖到樓底下去了，不知給什麼人拿去了。這麼點大的孩子，又不懂事，不見得打她一頓。小艾氣得半死，跑出去配絨線，一口氣跑了好幾家，好容易有一個店裏有同樣的，但是價錢非常貴，一算錢不夠了，只得回到家裏來，預備趕着在這兩天內把另外一件打好了，拿到了工錢再去買這絨線。

金槐一回來了，她便把這樁事情告訴了他一遍。臨睡的時候，她坐在床沿上織絨線，不覺又長長的嘆了口氣，道：『巴巴結結做着，想多掙兩個錢，倒反而賠錢。』這時，電燈忽然黑了。照例一到十點鐘，二房東就把電門關了。小艾喲了一聲，笑道：『話講得都忘了時候了，我還要把油燈點起來呢。』她擦了根洋火，把從前防空的時候用的一盞小油燈點了起來。金槐道：『怎麼你還要打絨線呀？』小艾道：『我再打一會兒。』

她本來想把一個後身做好就睡了，但是因爲心裏實在着急，後身做好了又去動手做一塊前襟。金槐早已睡熟了。那油燈漸漸暗了下去，她把那淡綠龐稜玻璃罩子拿掉，拿起一把剪刀來把燈芯挑了挑。在這更深夜靜的時候，沒有小孩在旁邊攪擾，做事倒是痛快。她一口氣做到天亮，忽然覺得腰痠，酸溜溜的就像蛀蝕進去，腰都要斷了。她也知道是累着了，所以舊病復發，心裏也有些害怕，忙把那絨線衫連針捲成一捲，包起來放在箱子裏，便吹燈脫衣上床。睡在床上，只覺心中嘈雜得厲害，翻來覆去的，漸漸的便又身上熱烘烘的，發起燒來，肚子也隱隱作痛。

這一天早晨她就沒有起來做早飯，金槐自到外面去買了些點心吃。她生病本來也是常事，他匆匆的出去，只說『今天晚上我去把媽接回來吧，家裏沒人照應。』不料她這次的病不比尋常，竟像血崩似的，血流得不止。引弟到時候沒有早飯吃，餓得直哭，小艾從枕頭底下摸出兩張零碎鈔票，聽見樓梯上有人走過，料是樓上那家的人出去買菜，便在枕上撐起半身，想喊住她，託她帶兩個燒餅給孩子吃。才欠起身來，忽然眼前一黑，那身體好像有千斤重，昏昏沉沉的早又倒了下去。孩子還在那裏哭，那哭聲却異常遙遠，有時候聽得見，有時候又聽不見。

七十

金槐下午回來，她已經暈過去好幾回了。他非常着急，馬上送她到醫院裏去。兩人坐着一部三輪車，小艾身上裹着一條棉被，把頭也蒙着。是秋天了，洋梧桐上的黃葉成陣的沙沙落下來，像下大雨似的。那淡黃色的斜陽迎面照過來，三輛車在蕭蕭落葉中疾馳着，金槐幫她牽着被窩的一角，使它不往下溜。

小艾突然說道：『引弟你明天讓她學點本事，好讓她大了自己靠自己。雖然現在男女都是一樣的，到底一個女孩子太難看了也吃虧。』她向來不肯承認那孩子長得醜的，忽然這樣說着，金槐却是一陣心酸，一時也答不出話來，默然了一會，方道：『你怎麼這時候想起來說這些話？』小艾沒有作聲，眼淚却流了下來。金槐給她靠在他身上。他看看她那棉被，是一條舊棉被，已經用了許多年了，但是他從來沒有注意到上面的花紋，大紅花布的被面，上面一朵朵細碎的綠心小白花，看着眼暈，看得人心裏亂亂的。迎面一輛電車噹噹的開過來。街上行人很多，在那斜陽影裏匆匆走着，也不知都忙些什麼。

小艾咬着牙輕聲道：『我眞恨死了席家他們，我這病都是他們害我的，這些年了，我這條命還送在他們手裏。』金槐道：『不會的，不會讓你死的。不會的。』他說話的聲音很低，可是好像從心裏叫喊出來。

皇冠
CROWN
〈註冊商標第173155號〉

皇冠叢書第一三六一種
【張愛玲全集14】
餘韻
作　者—張愛玲
發 行 人—平鑫濤
出版發行—皇冠文學出版有限公司
台北市敦化北路一二〇巷五〇號
電話◉七一六八八八八
郵撥帳號◉一五二六一五一六號
登 記 證—局版臺業字第五〇一三號
責任編輯—方麗婉
美術編輯—吳慧雯・劉慧芬
校　對—曾美珠・林俶萍・洪正鳳
印 刷 者—世和印製企業有限公司
台北縣中和市平和路五三號
電話◉二二三三八六六

原始出版日—一九八七年(民76)五月
典藏版初版—一九九一年(民80)八月
典藏版四刷—一九九四年(民83)三月

國際書碼◉ISBN 957-33-0552-6
Printed in Taiwan
本書定價◉新台幣 140 元